ПОЛЯКОВА

НЕ ВОРОШИ ОСИНОЕ ГНЕЗДО

ОСИНОЕ ГНЕЗДО

ПОЛЯКОВА

ТАТЬЯНА ПОЛЯКОВА

авантюрный детектив

ВРЕМЯ-СУДЬЯ

ТАТЬЯНА
ПОЛЯКОВА

Москва

2017

УДК 821.161.1-312.4
ББК 84(2Рос=Рус)6-44
П54

Оформление серии *С. Груздева*

Под редакцией *О. Рубис*

Полякова, Татьяна Викторовна.

П54   Время-судья : роман / Татьяна Полякова. — Москва : Издательство «Э», 2017. — 320 с. — (Авантюрный детектив. Романы Т. Поляковой).

ISBN 978-5-04-088579-4

Почему именно сейчас стали происходить все эти странные и пугающие события, связанные с исчезновением мамы? Ведь прошло уже четыре года с тех пор, как она бесследно пропала. После официального следствия, безуспешных поисков частных сыщиков мы с отцом уже смирились с неизбежным. И вот теперь я не знала, что и думать. Я действительно несколько раз видела свою мать? Или просто очень похожую на нее женщину? При этом, едва я хотела приблизиться к ней, она убегала. Словно кто-то затеял со мной жестокую игру. Я решила провести собственное расследование. Неожиданно у меня появился непрошеный помощник — Лео Берзинь. Удачливый бизнесмен, неотразимый красавец, о котором ходили самые невероятные слухи. Но разве могу я доверять ему, когда Лео и его отец являются конкурентами, заклятыми врагами моего папы?..

УДК 821.161.1-312.4
ББК 84(2Рос=Рус)6-44

ISBN 978-5-04-088579-4

Свет фар вырвал из темноты фигуру женщины в белом плаще. Она застыла на обочине дороги, а я испуганно шарахнулась вправо, боясь ненароком ее зацепить. Подъездная дорога к дому отца совсем узкая, две машины не разъедутся. Дом последний в переулке, по сути, это тупик, и я с некоторым удивлением подумала: «Кто эта женщина?» Точнее, что ей здесь понадобилось? Забрела случайно, не зная, что попасть на соседнюю улицу отсюда невозможно?

Я затормозила перед воротами, ожидая, когда створки разойдутся в стороны, и посмотрела в зеркало. Женщина все еще стояла на обочине. Не знаю, почему меня это насторожило. Она смотрела в мою сторону, а у меня по спине вдруг прошел холодок, что-то в ее фигуре показалось знакомым, не явное, но уже тревожащее. Я, глядя в зеркало, продолжала стоять возле ворот. Потом, точно опомнившись, проехала вперед, и глаза вновь вернулись к зеркалу. Женщина стояла не шевелясь, будто что-то разглядывая. Ворота начали закрываться, а она вдруг быстро пошла к дому. На мгновенье свет фонаря у ворот упал на ее лицо, а я заорала: «Мама!», чувствуя, как сердце ухнуло вниз.

И тут ворота закрылись.

— Мама, — пробормотала я, потому что сил кричать больше не было, впрочем, их все-таки хватило на то, чтобы выбраться из машины.

Я постояла, держась за дверцу, боясь, что могу свалиться в обморок, а потом бросилась к калитке. На то, чтобы отпереть ее, потребовалось время, я запоздало подумала, что проще было бы открыть ворота. Когда я, наконец, распахнула калитку, на подъездной дороге никого не было. Вглядываясь в темноту, я нерешительно позвала:

— Мама...

Мне никто не ответил. Помедлив, я направилась к тому месту, где пару минут назад видела ее. За столь короткое время достигнуть улицы, от которой вела дорога к дому, она бы не успела. Разглядеть белый плащ я бы смогла, если женщина, конечно, не прячется за густыми туями. Вопрос, зачем моей матери прятаться? Впрочем, как и бродить поздним вечером возле своего дома. При том, что уже четыре года ее безуспешно ищут: и полиция, и мой отец.

Я замерла на границе света, доходившего сюда от фонарей возле ворот. Примерно здесь она стояла. Попыталась разглядеть следы на песчаной обочине, уже сомневаясь, видела я женщину или это плод моего воображения. Если это не глюки, значит, ей одна дорога: за туями между соседскими заборами был узкий проход. Вступив на тропинку, я сразу же оказалась в темноте и немного постояла, ожидая, когда глаза привыкнут и начнут различать хоть что-то. Прислушалась. Где-то рядом заработал двигатель машины, шины заскрипели по гравию, а потом все стихло. Я все-таки дошла до конца забора и оказалась на соседней улице. Движение здесь особо оживленным не назовешь, но машин хватало, даже в это время.

Развернувшись, я зашагала к дому. Достигнув калитки, задрала голову, разглядывая звезды, и постаралась успокоиться. Какая-то женщина действительно чем-то похожая на мою мать, оказалась возле нашего дома. Возможно, она о чем-то хотела спросить меня, вот и направилась к воротам, а потом передумала. И поспешно скрылась? Все это довольно странно, время для одиноких прогулок не самое подходящее, впрочем, как и место. Но хоть как-то, да объяснимо. А вот на вопрос, с какой стати маме так себя вести, я бы точно не смогла ответить. Не было ответа и на главный вопрос: куда и почему она исчезла четыре года назад?

Абсолютно благополучная семья, где все любят друг друга... и вдруг однажды все летит к чертям. Первое время я надеялась, искала объяснения. Авария, амнезия... что угодно. Когда прошло полгода, объяснений практически не осталось, но я все равно надеялась. Впервые слово «убийство» было произнесено примерно тогда, не отцом и не мною. Матерью моей подруги. Она была уверена, что я ее не слышу. Оказалось, отец все это время был под подозрением, хотя никто обвинений ему не предъявлял.

О маме по-прежнему не было никаких сведений, карточками она не пользовалась, поиски ничего не дали. Она просто исчезла. Оказалось, так бывает.

За четыре года я научилась жить без нее, но смириться не могла. Не зря говорят: неизвестность мучительна. Наверное, даже смерть близкого человека перенести легче, чем эту выматывающую неопределенность, когда готов поверить всему... Так и до глюков недалеко.

«Они и не заставили себя ждать», — мрачно усмехнулась я, входя в калитку.

Дверь в дом была открыта, на крыльце стоял отец.

— Нюся, — позвал он.

Нюсей меня в шутку звала мама, папу это скорее сердило, он предпочитал называть меня «Анечкой» или «Анютой», но, когда мамы не стало рядом, вдруг начал обращаться ко мне именно так.

— Привет, — отозвалась я и помахала ему рукой.

— Ты куда ходила? — В голосе отца слышалось беспокойство.

— Кошка выскочила прямо под колеса, — соврала я, приближаясь. — Испугалась, что я ее задела... вот и пошла взглянуть...

Папа обнял меня и поцеловал.

— И что кошка?

— Надеюсь, цела. На дороге ее точно нет.

Мы вошли в дом. Когда исчезла мама, я училась в Москве, вернувшись в родной город, стала жить отдельно, сначала на съемной квартире, потом в своей, разумеется, купленной на папины деньги. Жить в этом доме я не могла и удивлялась, как папа может. Хотя на самом деле все должно быть просто: этот дом связывает его с мамой, и отец считает, пока он живет здесь, есть надежда, что однажды все вернется — и мама, и счастье...

Выходные мы, как правило, проводили вместе. Последние пару лет дом уже не вызывал у меня такого неприятия, как поначалу. В любом случае переезжать папа не собирался, следовательно, с этим надлежало смириться. Что я, в общем-то, и сделала.

— Как дела? — спросил папа, когда мы оказались в просторной кухне-столовой.

— Нормально, — пожала я плечами.

— Сейчас тебя кормить буду.

— Шутишь? Половина одиннадцатого.

— Уверен, ты не ужинала. И, скорее всего, не обедала.

— Не угадал. Сегодня с девчонками в кафе встречались...

— Да? Что ж, тогда давай пить чай.

Мы устроились за столом, через некоторое время я поймала себя на том, что таращусь в чашку в надежде найти ответ на вопрос: привиделась мне женщина в белом плаще или нет? Точнее, была ли она похожа на мою мать.

— У тебя все в порядке? — спросил отец, как видно, мой интерес к чашке без внимания не остался.

— Да... пришла одна идея... Извини.

«Почему бы не рассказать папе?» — подумала я.

В первый месяц мы много говорили о маме, наперебой убеждая друг друга, что она вот-вот найдется. Потом замолчали, а в последнее время и вовсе избегали этой темы.

— Папа, — собравшись с силами, позвала я, — ты считаешь, ее нет в живых?

Отец такого вопроса не ожидал. Посмотрел както странно, вздохнул, почесал бровь указательным пальцем — верный признак того, что ему надо подумать, прежде чем ответить.

— Почему ты спросила? — наконец произнес он. — Я имею в виду... почему вдруг сейчас?

— Не знаю, — пожала я плечами. — Но... когда-нибудь нам придется поговорить об этом.

— Да, — кивнул он. — Ты права. Наверное, в самом деле нам нужно поговорить... Нюся, если бы мама была жива... я не представляю, что могло ее заставить бросить нас... Допустим, я еще могу придумать причину, по которой она оставила меня, внезапно вспыхнувшая страсть, к примеру... Хотя это, скорее, уже кинематограф. В реальной жизни человек мучается, пытаясь решить, как поступить, а потом ставит в известность мужа, что хочет развестись... если предпочтет любовника. Мне казалось, я хорошо знаю твою маму. Она не из тех женщин, что изменяют мужу. Допустим, я ошибаюсь. Но тебя она бы в любом случае никогда не оставила. Никогда. И ты это знаешь. Ее бесследное исчезновение ставит в тупик, я тысячи раз думал, что могло произойти в тот день... Что-то страшное, Нюся. И теперь у меня одна надежда: что я когда-нибудь узнаю...

— Ты ведь обращался к частному детективу?

— Его рекомендовали как профи по розыску пропавших.

— И никаких следов?

— Ты же знаешь, — вздохнул отец. — Ее нет. Я не сомневаюсь. Вопрос, как и где это произошло.

— И на чудо рассчитывать не приходится?

— На пресловутую амнезию? Всех, кто не мог ничего сообщить о себе, давно проверили. Женщин среди них совсем немного. Кто-то удерживает ее силой? Обычно таких, как твоя мама, похищают с намерением получить выкуп. Ко мне никто не обращался. Родителей твоей мамы давно нет.

— Что же получается? — пробормотала я.

— Несчастный случай — единственное разумное объяснение, — сказал отец. — Она погибла, а виновник ее гибели, испугавшись, спрятал тело.

— А если... если маму вынудили бросить нас? — не очень уверенно предположила я.

Отец криво усмехнулся.

— Кто? Зачем? И кому от этого польза? Поверить в инопланетян не дает здравый смысл. Кто еще? Спецслужбы? Ничуть не лучше инопланетян. Ты же знаешь, как она тебя любит... любила. Когда ты уехала в Москву, мне пришлось уговаривать ее не звонить тебе каждый час... Она бы нашла способ связаться с нами, уж можешь поверить. Твоя мама не из тех, кто опускает руки.

«Сказать ему? — думала я. — Скорее всего, это лишь прибавит ему беспокойства. Мало того, что жены лишился, теперь дочери бог знает что мерещится».

Мы допили чай и перебрались в гостиную, устроились на диване поближе друг к другу, смотрели телевизор и почти не разговаривали. Я знала, о чем думает отец, и почти жалела, что завела этот разговор.

После двенадцати он взял пульт и сказал:

— Давай-ка спать. — И я согласно кивнула.

Поднялась в свою спальню, постояла под душем, а затем устроилась на подоконнике, открыв настежь окно. Сна ни в одном глазу. Папа прав: разумных объяснений нет. И мама действительно из тех людей, кто никогда не опускает руки. Она нашла бы способ связаться с нами. Со мной.

Я не сказала отцу месяц назад и сегодня промолчала. Тогда — сочтя письмо чьей-то дурацкой шуткой, а сегодня... не знаю почему.

Месяц назад в мой день рождения по электронке пришло письмо. Короткое. «Доченька, я так люблю тебя и так счастлива, что ты у меня есть. Поздравляю тебя и желаю счастья огромного-преогромного. Твоя мамочка».

Читая письмо, я стискивала зубы от злости, ни минуты не сомневаясь: это гнусная шутка. Мама бы вряд ли написала нечто подобное, «доченька» и «мамочка» вообще не в ее стиле. Папа прав, мама очень меня любила, беспокоилась, донимала звонками, однако обходилась без сюсюканья. Она была веселой, немного насмешливой, подтрунивала надо мной, придумывала смешные прозвища, вместо «вертихвостки» говорила «хвостовертка» и звала Нюсей или Нюркой, весело фыркая. Но теперь, после разговора с отцом, я подумала: а вдруг... Вряд ли бы моя мама написала нечто подобное, но это та мама, которую я знала четыре года назад. Вдруг что-то заставило ее измениться. Чему удивляться, если это что-то заставило ее исчезнуть?

Умом я понимала: папа прав, единственное внятное объяснение — ее нет в живых. Письмо произвело на меня куда большее впечатление, чем я могла бы предположить, оттого в случайных прохожих мне и мерещатся знакомые черты.

Однако все эти размышления отнюдь не успокоили, напротив, теперь я скорее удивлялась категоричности, с которой я отнеслась к электронному письму. Сейчас, после слов отца, все виделось совершенно в ином свете. Почему бы не предположить почти невозможное? Мама жива, и она связалась со мной. Со мной, а не с отцом? Когда она исчезла, я уже несколько лет жила в Москве, дома появлялась далеко не каждый выходной. В столице были друзья и масса возможностей отлично провести время. Родители приезжали ко мне куда чаще. По делам им приходилось бывать в Москве еженедельно, что избавляло меня от необходимости выполнять дочерний долг.

В последний год они редко приезжали вдвоем. Если честно, я такого вообще не могла припомнить. Никаких подозрений тогда это обстоятельство у меня не вызвало. У родителей общий бизнес, год от года он расширялся и, разумеется, требовал внимания. В тот последний год они не ездили отдыхать, как обычно.

Сколько я себя помнила, мы отдыхали дважды в год, две недели зимой и месяц летом. Когда я стала старше, к этому прибавились поездки с мамой в Лондон, она считала, это необходимо, чтобы подтянуть мой английский. После первого курса я впервые отправилась отдыхать без родителей, в компании подруги. Собственно, на этом семейные поездки закончились. Мне нравилось отдыхать с друзьями, и мама с папой отнеслись к этому с пониманием.

Они хотели купить квартиру в Болгарии, потом вдруг передумали. Мама сказала, что мне наверняка захочется побывать в разных местах и я не стану проводить все каникулы в Болгарии, а у них с папой просто нет времени бывать там часто. О квартире следует подумать ближе к пенсии. Объяснение показалось вполне разумным. Хотя, если честно, и сама покупка, и внезапный отказ от нее совсем меня не интересовали. Я была слишком увлечена собственной жизнью и о жизни родителей в тот период мало что знала. Дежурного «все нормально» мне хватало. Родители словно остались в прошлой жизни, в уютном, любимом доме, где меня ждали и куда я могла вернуться в любую минуту. Интересно, все девицы моего возраста такие эгоистки или я в своем роде уникум?

А потом грянул гром... Папа позвонил ближе к вечеру и спросил: «Мама не у тебя?» В голосе странная нерешительность и беспокойство.

— Нет, — ответила я, даже не догадываясь, что приготовила мне судьба. — Она хотела приехать?

— Нет... Не знаю. Она звонила сегодня?

— Нет, — вновь ответила я и подумала: странно, что мама не звонила ни разу за весь день. Непохоже на нее. Это я могла забыть и не позвонить, но не она.

— Меня это беспокоит, — сказал отец. — Не могу до нее дозвониться.

Я уверила себя: мама просто забыла подзарядить мобильный. Несколько раз набирала ее номер, а потом отправилась с подругой в кино.

Вторично отец позвонил в полночь. Мамы не было ни на работе, ни дома. На звонки она упорно не отвечала. Теперь в его голосе была настоящая паника.

— Мама не звонила?

— Нет.

Только тогда появилось беспокойство. Но я по-прежнему была уверена: все непременно обойдется и объяснение ее поведению будет простым и даже забавным. Святая наивность маменькиной дочки, которая считает: ее родители вечные и с ними никогда ничегошеньки не случится.

На ночном поезде я приехала домой, хотя папа и возражал. Думаю, он не переставал надеяться, что мама появится у меня.

В восемь утра мы отправились в полицию, потом ждали звонка дни напролет, не отходя от телефонов, сначала счастливого известия, которое вернет нашу прежнюю жизнь, затем — какого угодно.

Само собой, я расспросила папу о том последнем дне. Накануне они гостили у Вяземских, давних друзей. Вернулись поздно. В девять утра у отца важная встреча, он уехал из дома в восемь тридцать пять. Маму будить не стал. В одиннадцать сорок она появилась возле офиса, приехала на своей машине. Ее заметил охранник. На записи видеонаблюдения машину хорошо видно. Мама подъезжает, ставит «БМВ» на своем обычном месте, изображение не вполне отчетливое, но за рулем, безусловно, она. Держит руку возле уха, вроде бы с кем-то говорит по телефону, потом «БМВ» вдруг срывается с места и поспешно покидает парковку. Само собой, этот телефонный разговор очень заинтересовал полицию. Логично предположить: кто-то позвонил и мама отправилась на встречу с этим человеком. Возможно, нервничала. Такой вывод напрашивался, объясняя крайнюю спешку. Обычно мама ездила аккуратно.

Проверили все звонки в тот день. Вот тут и появилась первая странность. Ни одного звонка. Ни с ее номера, ни на ее. Должно быть, мама выключила мобильный, чтобы выспаться, а потом забыла его включить. Но камера запечатлела ее разговор по мобильному, телефон возле уха, и губы двигаются. Следователь спрашивал, не было ли у мамы еще телефона. Я ответила отрицательно, потому что никогда второго телефона не видела и мама всегда звонила с одного номера.

Тогда я была уверена: вся эта путаница из-за плохого качества изображения. Мама могла поправлять волосы и произнесла что-то вслух, досадуя, например, на свою забывчивость. Так мы тогда и решили с отцом: мама что-то вспомнила, вот и вернулась. Домой? Но теперь я вдруг подумала: что, если у нее действительно был другой мобильный, о котором ни я, ни отец ничего не знали? Вот только зачем он маме?

Я прошлась по комнате, потом решительно направилась к компьютеру, он остался здесь еще со школьных времен.

Об исчезновении мамы, оказывается, писали довольно много. Чего ж удивляться, зная страсть людей ко всевозможным загадкам. Через два часа я с удивлением поняла, что много чего не знала. Например, в ту ночь родители спали в разных комнатах: мама в их общей спальне, а отец в гостевой. Мне он об этом не рассказывал. В полиции отец объяснил, что довольно много выпил в гостях, а во хмелю имел неприятную особенность храпеть. Вот жена и отправила его в гостевую, чтобы не мешал спать. Папа, оказывается, храпит, чем и нервировал маму. По крайней мере, это объясняет, отчего в то утро родители не общались. Мама всегда спала очень чутко и непременно бы проснулась, когда папа поднялся, чтобы идти на работу. Помнится, он не уходил, не поцеловав ее на прощанье... Действительно не хотел будить или была еще причина, из-за которой привычный ритуал был нарушен, а папа оказался в гостевой?

Теперь, сидя перед компьютером и читая статьи четырехлетней давности, я думала, как мало знаю о жизни своих родителей. За те годы, что я училась в Москве, могло произойти очень многое, о чем мне не захотели сообщать. Или я не хотела видеть? Отца в убийстве никто не обвинял, но намеки были. В таких делах муж всегда подозреваемый номер один. С девяти утра до половины седьмого он был в офисе, чему много свидетелей, день выдался суматошный, отец не смог бы и на минуту отлучиться, чтобы этого не заметили. В ежедневнике его секретаря все расписано по минутам, и никакие самые хитрые вопросы сбить ее не смогли, она стояла на своем: Алексей Егорович все время был в офисе и только в час спустился в кафе на втором этаже, чтобы пообедать, компанию ему составил заместитель по финансам. Но в одной из статей намекали, что господину Гришину ничто не мешало разделаться с женой после половины седьмого. А потом разыграть спектакль с исчезновением. Повод для избавления от спутницы жизни банальный и веский — деньги. Общий бизнес, который в случае развода пришлось бы делить.

Думаю, жизнь моих родителей, пока шли поиски, рассмотрели под микроскопом, но, судя по всему, ничего подозрительного не нашли.

В половине седьмого отец поехал домой. В течение дня мама на звонки не отвечала, и это его слегка удивило. Однако он убедил себя: жена решила остаться дома из-за приступа головной боли и телефон выключила, чтобы ей не мешали. Эти самые головные боли мучили ее довольно часто. Не застав маму дома, он забеспокоился. Ее мобильный по-прежнему молчал, и папа стал обзванивать знакомых. Ее машины в гараже не оказалось, оставалась надежда, что она вдруг уехала в Москву. Какое-то время папа не решался звонить мне, чтобы не напугать, но потом не выдержал...

Я вернулась к окну, постояла немного, вглядываясь в ночь за стеклом. Дверь за моей спиной чуть приоткрылась.

— Не спишь? — услышала я голос отца.

— Собираюсь ложиться.

Он подошел и обнял меня.

— Может, тебе съездить куда-нибудь отдохнуть? Хочешь, поедем вместе?

— Заманчиво. Я подумаю.

Он кивнул, собираясь уходить, и вдруг нахмурился. Я проследила его взгляд и поняла, в чем дело: на экране компьютера статья с броским заголовком «Никто никогда не узнает правды?». Я досадливо поморщилась, а папа вновь повернулся ко мне.

— Я бы очень не хотел... — заговорил он, с трудом подбирая слова, и криво усмехнулся, то ли досадуя на свою нерешительность, то ли все-таки на меня. — Самое лучшее для нас, для тебя... научиться жить без нее. Я прошел все стадии от надежды до полного отчаяния. Иногда куда разумнее остановиться. И я не хочу, чтобы ты... боль словно выедает человека изнутри... я бы предпочел, чтобы ты... избежала этого. Слава богу, у тебя целая жизнь впереди. Извини... что-то я сегодня невнятно выражаюсь...

— Я отлично поняла тебя, папа. Но вряд ли тебя должно удивлять, что я...

— Удивлять? — перебил он. — Нет, меня это не удивляет. И я очень боюсь, что ты угробишь несколько лет, а то и жизнь на разгадку этой тайны. Поверь мне: все, что возможно, я уже сделал. Результат нулевой. Теперь рассчитывать приходится лишь на чудо, а его может и не быть. Очень тебя прошу, не повторяй моих ошибок...

— То, что ты до сих пор ищешь маму, ты считаешь ошибкой?

— Мне тоже пора остановиться. И попробовать жить без нее. Это очень трудно. И проклятое «а вдруг» до сих пор не дает мне покоя. Оттого я так боюсь за тебя.

Он поцеловал меня и торопливо вышел из комнаты, а я, опустившись на кровать, досадливо покачала головой. Теперь рассказывать о женщине, встреченной возле дома, и вовсе не стоит. Отец точно решит: у меня глюки на почве дочерней любви. Да и о его душевном состоянии неплохо бы подумать.

Разговор оставил неприятное чувство, и дело не только в том, что я расстроила папу, хотя меньше всего этого хотела. А в чем? Его реакция показалась чрезмерной? Ну заглянула я в интернет, посмотрела старые статейки... Все дело в этих намеках на его причастность? Не думает же он, что я в них поверю? Или он в самом деле боится: я стану одержима поисками, как он еще недавно. Кстати, об этих самых поисках мне тоже мало что известно.

Когда вернулась в родной город, отец уже отчаялся найти хоть самую крохотную зацепку. Но все равно продолжал искать. Я помню его потухший взгляд, словно обращенный внутрь, тогда это меня здорово пугало... Чего ж теперь удивляться папиному беспокойству? Он прав, тысячу раз прав. Нам надо научиться жить без нее. Я честно пыталась. Поначалу из-за отца. Видела, что с ним происходит, и твердила себе: кому-то из нас надо сохранить голову на плечах, не съехать с катушек. А теперь, когда отец понемногу успокоился, я готова все начать сначала.

Я легла под одеяло и выключила свет, дав себе слово выбросить из головы недавнюю встречу. Я уже лишилась матери, тем более стоит поберечь отца.

Проснувшись утром и заглянув в кухню, я обнаружила там папу, разговаривающего по телефону. Заметив меня, он кивнул и улыбнулся, ткнув в сторону стола. На подносе стояла чашка кофе. Я взяла ее, сделала глоток, прислушиваясь к разговору. Звонок явно не деловой, отец шутил, то и дело смеялся. А я с удовольствием отметила, что он отлично выглядит. Красивый мужчина... Четыре года — большой срок, и вчера он наверняка имел в виду не только меня, но и себя. В смысле, начать новую жизнь и все такое. Очень может быть, у него кто-то есть...

Я попыталась представить рядом с ним другую женщину. Вряд ли мне это понравится, но что делать. Если любишь человека, принимаешь и его выбор. Именно так любила повторять мама.

Отец закончил разговор и подошел ко мне.

— Вяземские зовут на дачу.

— Поедешь?

— Если ты составишь компанию.

— Не особо тянет на природу...

— Тогда и я найду чем здесь заняться...

— Ладно, поехали, — засмеялась я, — не хочу, чтобы из-за меня ты шашлыка лишился.

— Шашлык не проблема. Мы можем...

— Поехали, — махнула я рукой. — Позвоню Илье, надеюсь, он не против навестить родителей.

— Приехал еще час назад, тебе не звонил, боясь разбудить.

— Отлично, мы давно не виделись.

Через час мы на папиной машине отправились на дачу Вяземских. Собственно, с некоторых пор они жили в своем загородном доме постоянно, но по привычке именовали его дачей. В городской квартире теперь жил Илья — сын Вяземских и мой давний друг. Если он сегодня у родителей, значит, скучно не будет.

Очень скоро мы покинули город, по мосту перебрались на другую сторону реки и вдоль берега проехали еще пару километров. Коттеджный поселок «Парус» располагался в очень живописном месте.

Дом Вяземских стоял у самой реки, вид из окон открывался потрясающий. Ворота были распахнуты настежь, на подъездной дорожке, кроме машины Ильи, серебристый «Мерседес» и здоровенный «Ниссан».

— Шуговы приехали, — заметил папа.

Алла Шугова была самой близкой маминой подругой. Они любили вспоминать, как начинали заниматься бизнесом, совсем еще девчонками торговали кожаными куртками, сами ездили за товаром к черту на кулички. Мама рано осталась сиротой, родители погибли в автокатастрофе, воспитывала ее бабушка. В наш город они с бабкой перебрались как раз после гибели маминых родителей. Жили трудно. Мама еще подростком начала работать. В рассказах подруг всегда было много смешного, но, думаю, первые деньги давались тяжело, мама считала: эта работа их закалила, многому научила. Потом мама встретила папу, а Алла — своего Виктора Николаевича. Он был гораздо старше и к тому моменту далеко продвинулся на ниве российского капитализма. Алла могла бы вести жизнь домохозяйки, но ей это и в голову не пришло. Она продолжала работать и сейчас считалась одной из самых богатых женщин области. С мужем они развелись, затем вновь сошлись и последние десять лет сходились и расходились с завидной регулярностью, неизменно сохраняя прекрасные отношения.

Детей у них не было, возможно, в этом крылась причина, по которой обоим не жилось спокойно.

Приткнув машину рядом с «Ниссаном», папа достал из багажника корзину с вином и фруктами, и мы отправились на лужайку за домом, откуда доносились голоса.

— О, кто приехал! — заголосила Сонька, первой заметив нас, и поднялась с шезлонга, на котором лежала, закутавшись в плед.

Сонька — дочь Вяземских. Старше Ильи на семь лет. По этой причине она вечно нами командовала, иногда существенно отравляя нам с Илюхой жизнь. В детстве отец звал ее «прокурором», она им и стала. С моей точки зрения, работа для этой зануды самая подходящая.

Семейство Вяземских — сплошь юристы. Правда, Нина Дмитриевна много лет назад убрала свой диплом подальше в шкаф и редко о нем вспоминала. Муж делал карьеру, а она обеспечивала тыл, это ее слова, а не мои. Основным ее занятием стала забота о собственной внешности, к пятидесяти годам она сделала столько пластических операций, что сама успела сбиться со счета. И теперь выглядела довольно странно. Рот сворачивало на сторону, когда она говорила, все остальное оставалось неподвижным. Илюха язвил, что с непривычки это пугает. Само собой, язвил, когда матери не было рядом, в семействе ее побаивались. Мой отец говорил в шутку: «Нина уже выглядит моложе Сони». В этом была доля правды, Сонька, в отличие от родительницы, за собой совершенно не следила, весила килограммов сто, и со спины вполне могла сойти за мать Нины.

Сам Вяземский был из тех мужчин, что работу предпочитали всему остальному, и на окружающее внимание обращал по минимуму. Он был давним другом моего отца, у нас хранилась фотография, где я сижу у него на руках в годовалом возрасте.

Андрей Викторович, для меня просто дядя Андрей, был председателем областного суда, Сонька делала карьеру в прокуратуре, а Илья подался в адвокаты. Из духа противоречия, надо полагать. Адвокатов в их семье не жаловали, однако с его выбором смирились. Теперь Нина шутила, что в семействе «всякой твари по паре».

Все дружно обратили на нас свои взоры, приветствуя на разные голоса. Папа расцеловался с дамами и пообнимался с мужчинами. Мне перепало и объятий, и поцелуев. Даже Сонька соизволила приподняться и ткнулась носом в мою щеку, точно клюнула.

— Какие молодцы, что приехали, — улыбаясь, громко сказал дядя Андрей и увлек отца к мангалу, где мужчины готовили шашлык.

Илья остался рядом со мной, сунув мне в руки бокал вина, заявил:

— Классно выглядишь.

— Ты тоже, — кивнула я.

Чистая правда. Илюшка — красавец. В старших классах школы я была в него влюблена. И он в меня вроде бы тоже. Говорю «вроде бы», потому что он сам, похоже, был в этом не уверен. Он учился в Москве, и я, поступив в столичный вуз, лелеяла надежду, что мы будем вместе. Мы виделись довольно часто, но в отношениях особо не продвинулись, я по этой причине очень страдала и пыталась ситуацию изменить. Однажды набралась храбрости и пригласила его к себе, раз уж он сам до этого не додумался. Мы стали любовниками, после чего пыла во мне по неясной причине поубавилось. Так как у Илюхи его и раньше было не особо много, нечего удивляться, что отношения наши стали затухать и вернулись к исходной точке: мы вновь стали друзьями детства, иногда подшучивали друг над другом, намекая на любовь, которая не забывается, но на самом деле ни он, ни я всерьез об этом не думали.

Вот и сейчас он заявил с нежным придыханием:

— Обожаю тебя, — и весело подмигнул.

Его сестрица хмыкнула и отвернулась, а Нина сказала:

— Когда вы наконец поймете, что просто созданы друг для друга.

У родителей была давняя идея породниться. Впрочем, мой папа, в отличие от Нины, на сей счет помалкивал, не потому что идея больше не казалась ему привлекательной, просто не считал вправе ее навязывать.

Я устроилась в шезлонге рядом с Ниной, а Сонька спросила:

— Как твой шляпный бизнес? Процветает?

Ее мать взглянула укоризненно, а я ответила:

— Доход приносит. Правда, пока небольшой.

— С таким папой тебе нет нужды думать о доходе, — съязвила Сонька.

— Да уж, — влез Илья, обращаясь к сестре. — Тебе-то, конечно, с папой не повезло. Все сама, своим умом и талантом.

— Иди в задницу, братик, — хмыкнула Сонька.

А Нина рукой махнула:

— Хватит вам. Кстати, шляпы прелестные. Я купила две. И ты бы могла, если б хоть немного за собой следила.

— Начинается... — Сонька скривилась, демонстративно отворачиваясь.

Шляпный бизнес, как его именовала Сонька, — это небольшое ателье, которое я открыла, вернувшись после учебы домой. Папа рассчитывал, что я буду работать у него, но, узнав о моих планах, возражать не стал. Хотя вуз я закончила экономический, но мне всегда хотелось что-то делать своими руками. Еще в школе я вязала самые немыслимые шапки себе и подругам, а еще очень любила рисовать.

Сонька, безусловно, права. Не будь у меня такого папы, вряд ли бы мечта осуществилась столь легко: папа помог с помещением и с деньгами, конечно, тоже. Но модели я создавала сама, и если бы они никуда не годились, вряд ли бы их стали покупать. А между тем мне пришлось взять еще одного продавца в свой небольшой магазинчик при мастерской. В интернет-магазине за полгода продажи выросли больше чем в три раза. Однако Сонька продолжала считать мою затею блажью избалованной девчонки.

Минут через пятнадцать нас позвали к столу, накрытому в беседке. Шашлык удался. Открыли еще две бутылки вина, шутили, смеялись, и я порадовалась за папу, он больше не хмурился, охотно участвовал в разговоре и выглядел вполне счастливым. Таким, как раньше.

Застолье длилось часа два, Шуговы вскоре уехали, мы с Ильей стали собирать посуду, отец с дядей Андреем сели играть в нарды, Сонька, набирая лишние килограммы, дрыхла теперь уже на качелях, а Нина устроилась в тенечке с книгой.

— Какие планы на вечер? — спросил Илья, когда я складывала посуду в посудомоечную машину.

— Прогулка под звездами и девичьи мечты в светелке.

— Может, дадим свободу нашим предкам?

— Думаешь, они в ней нуждаются?

— Они тоже люди, — засмеялся Илья. — Мы давно никуда не выбирались вместе... глупо тратить все выходные на семейные посиделки.

— Мне нравится.

— Мне тоже. Но досуг следует разнообразить.

— Есть предложение?

— А то. Серега Котов открывает сегодня ресторан после ремонта. Обещал, что будет весело.

— Хорошо, — пожала я плечами. — Когда отправимся?

— Думаю, раньше семи там делать нечего. Пожалуй, пока вздремну. Ты как?

— Посплетничаю с твоей мамой.

— Тогда я пошел.

Илья отправился в свою комнату на втором этаже, а я вскоре присоединилась к Нине. Завидя меня, книгу она отложила.

— Хочешь чаю? — спросила с улыбкой. — Есть вишневое варенье.

— Мое любимое.

— Я помню.

Мы вернулись в беседку, включили электрический самовар. Я расставляла чашки, а Нина принесла варенье из холодильника.

— Мальчики, — позвала она, проходя мимо папы и дяди Андрея, которые устроились под раскидистой липой. — Хотите чаю?

— Спасибо, — отозвался папа, не поворачивая головы.

— Мы предпочитаем вино, — махнул рукой дядя Андрей.

— Игра в нарды всегда казалась мне скучным занятием, — заметила Нина, разливая чай. — Ты ведь хорошо играешь?

— Не очень. Мама хорошо играла. Папа ей часто проигрывал.

— Да, — кивнула Нина, чуть нахмурившись. — Твоя мама — молодец.

— Нина Дмитриевна, — помедлив, начала я. — Я хотела вас спросить...

— Спрашивай.

Она внимательно смотрела на меня, забыв про чай.

— В тот вечер... когда родители в последний раз были у вас вместе... Они поссорились?

— С чего ты взяла? — удивилась Нина.

— Они спали в разных комнатах... Я подумала...

— Они не ссорились. Все это глупости, и мне не очень понятно, почему ты вдруг...

— Не вдруг, — мягко перебила я. — Мы с вами никогда не говорили об этом... но... меня ведь не было здесь. И кое-что осталось неясным...

— Твои родители — прекрасные люди, — заговорила она. Получилось почему-то нервно.

Что ее раздражало: мои вопросы, которые она считала бессмысленными, или необходимость говорить о том, что она хотела бы скрыть?

— Они любили друг друга. И исчезновение твоей мамы никак не связано с твоим отцом. С их отношением друг к другу, я имею в виду.

— Тогда почему бы нам не поговорить о том вечере? — пожала я плечами.

Она едва слышно вздохнула.

— Хорошо. Что тебя интересует?

— Они поссорились?

— Нет. Это был отличный вечер, ничем не омраченный. Мы... мы точно вернулись в свою молодость. Дядя Андрей свою гитару притащил, представляешь? Мы пели, танцевали... и даже играли в бутылочку. Безумствовали, одним словом. И были счастливы.

— И выпили лишнего? Я папу имею в виду.

— Папу? Ты что, не знаешь своего отца? У него редкая способность сохранять трезвую голову, независимо от количества выпитого. Когда разъезжались, он единственный твердо стоял на ногах.

— А мама?

— Что мама? — вновь нахмурилась Нина.

— Она на ногах твердо стояла?

— О господи... Не понимаю, зачем тебе все это...

— Я же сказала: мне просто хотелось бы знать.

— Что знать? Хорошо, хорошо. Твоя мать была пьяна. Если честно, за все время нашей дружбы я никогда ее такой не видела. Но это ничего не значит.

— Что «не значит»? — теперь уже я переспросила.

Нина досадливо покачала головой.

— Она не ссорилась с твоим отцом. Они были счастливой парой.

— Вы это повторяете, как мантру.

— Я говорю правду. Кто бы там чего тебе ни наболтал.

— Значит, наболтать все же могли?

Нина с минуту меня разглядывала с явным раздражением. Невероятно, но так и есть, и это при том, что человек Нина очень сдержанный, если не сказать равнодушный. Не припомню, чтобы она когда-нибудь реагировала столь эмоционально. Само собой, у меня тут же возникли самые черные мысли. А как иначе?

— Нюся, — довольно быстро справившись с собой, заговорила она ровным голосом. Впрочем, он и до этого на крик не срывался, а вот взгляд остался прежним. На сей раз «Нюся» вызывало у меня легкий приступ изжоги, я уже собралась сказать «не зовите меня так», но тут стало интересно, потому что Нина произнесла:

— Когда подобное происходит, слухи неизбежны. Люди любят трясти чужое грязное белье.

— Оно меня, кстати, тоже очень занимает.

— Почему, скажи на милость?

— Ну это просто... Моя мать исчезла, и я хочу знать, не было ли для этого причин.

— Ее нет уже четыре года. Этим делом занимается полиция. А еще твой отец с целой толпой частных сыщиков. Хотя дядя Андрей предупреждал: это пустая трата денег.

— Почему?

— Потому что полиция ничего сделать не смогла, вот почему, — зашипела она, должно быть, опасаясь, что нас кто-то услышит. — Уж можешь мне поверить, они старались. У твоего отца есть друзья, которые очень хотели помочь. Мой муж, к примеру. Да он трижды в день звонил полицейскому начальству. Отец обещал крупную сумму за любые сведения о Татьяне. Никаких следов.

— Вы тоже считаете, что ее убили? — вздохнула я.

Нина вновь довольно долго рассматривала меня, но взгляд изменился: будто я больная, которой никто не может помочь.

— Бедная девочка, — наконец, сказала она, — ты ищешь причину, по которой Таня... просто уехала? Бросив тебя и мужа?

Я мысленно усмехнулась — одна причина у меня, безусловно, есть: возле дома болтается тетка, подозрительно похожая на мою мать, а на день рождения я получаю поздравление, подписанное «мамочка».

— Разные бывают обстоятельства, — философски заметила я.

— Да? Какие же?

— Например, у папы был роман. А что, такое бывает. Живут-живут люди, а потом бац, один из них решает, что ему нужны перемены.

— Хотела бы я знать, кто тебе все это наболтал? Эта змея Ольга?

Надо полагать, в виду имелась секретарша мамы, другой женщины с таким именем я не знала и тут же решила непременно с ней встретиться. А Нина между тем продолжила, понизив голос до шепота:

— Твой отец никогда... Он любил ее, только ее...

— Иногда любят одних, а спят с другими, — пожала я плечами. — Вы о таком не слышали?

В то же мгновение я подумала: она меня ударит, таким бешенством полыхнул ее взгляд.

— Не знаю, зачем тебе это нужно, но все было с точностью до наоборот.

— Я видела, что между ними что-то происходит, — миролюбиво заговорила я. — Они перестали приезжать вместе...

И тут до меня дошло: Нина этой фразой «с точностью до наоборот» могла иметь в виду совершенно другое.

— У мамы был любовник? — брякнула я.

— Тихо, — зашипела Нина. — Отец ничего не знает. Никто ничего не знает.

— Только вы?

— Наверное.

— И вы не сообщили об этом следователю?

— Не о чем было сообщать. Я не знала, кто он такой.

— Мама о нем не рассказывала?

— Нет.

— Тогда как вы...

— Как и ты. Сообразила, что что-то не так. Хотела поговорить с ней. Думала, твой отец... даже лучшие из мужиков иногда ведут себя, точно идиоты. Между прочим, у дяди Андрея был роман на стороне. Двадцать лет назад. Можешь в такое поверить? Я хотела с ним развестись, но твоя мать меня отговорила. И оказалась права. Я собиралась сделать то же самое. Напомнить ей ее собственные слова и убедить не торопиться...

— И что мама?

— Сказала, что Алексей лучший в мире муж, прекрасный человек и она его не заслуживает, после чего разрыдалась. Что я должна была подумать?

— Вы только подумали или спросили?

— Знаешь, ты очень на нее похожа, — усмехнулась Нина. — Временами она была такой въедливой, что хотелось, чтобы она, наконец, замолчала.

— Сейчас это вряд ли возможно, в данной фазе разговора, я имею в виду.

— И выражаешься практически так же. Конечно, я спросила. Она разрыдалась еще больше. Сказала, что это была ошибка. «Не вздумай каяться мужу», — сказала я, а она ответила: «Ложь никого не спасет». Я потратила битый час, чтобы убедить ее не делать глупостей. Она поклялась, что будет молчать. И, разумеется, порвет с тем типом. Собственно, они уже и расстались. По крайней мере, Татьяна меня уверила в этом.

— Она назвала имя?

— Нет. И ничего о нем не рассказывала. Да я и не хотела знать. Я слишком хорошо отношусь к твоему отцу. И как, скажи на милость, я бы стала ему в глаза смотреть?

— То есть вы ничего о ее любовнике не знаете?

— Ничего. Поэтому и промолчала. Я бы лишь выставила твою мать в дурном свете, но ничем бы не помогла.

— А если этот любовник...

— Такая мысль и мне пришла в голову. Но к моменту нашего разговора они ведь расстались, после этого прошло два месяца, мы виделись за это время много раз, и она и словом не обмолвилась о том, что он каким-то образом выражает недовольство. Татьяна заверила, что все кончено, сказала «мы оба поняли, это было ошибкой». Ко всему прочему, он был моложе ее. Намного. Любовь к даме в возрасте недолговечна, лично я считаю подобное ловким прикрытием корыстных интересов. Речь необязательно идет о деньгах...

— О том, что он моложе, сказала мама? Может, еще что-то рассказывала?

— Ничего она не рассказывала, — буркнула Нина. — Просто произнесла: «Как я могла увлечься глупым мальчишкой». Можно и в пятьдесят быть болваном, но именно так тебя и назовут, а не «глупым мальчишкой». Кто-нибудь из подчиненных, из тех, что вечно мелькают перед глазами. Был рад оказаться любимчиком хозяйки, но потом сообразил: мужа она не бросит, а вот неприятности ему обеспечены, если хозяин узнает. Придется другое место искать. Сдрейфил и стал талдычить про ошибки. Думаю, в тот момент Татьяна еще от этой страсти не отошла. Уж очень рыдала. Дело не только в угрызениях совести, но и в досаде, что все быстро закончилось. Но это мои домыслы, как ты понимаешь.

— Вот именно. А если вы ошибаетесь и это мама бросила его, а он затаил обиду и решил отомстить?

— Нюська, ты в семье юристов, последние тридцать лет я только и слышу о том, кто на что способен... Ты задала вопрос: считаю ли я, что твоей мамы нет в живых? Ответ положительный. И дело не в ее любовнике. Если при всем старании не нашли никаких зацепок...

— Значит, убийца никак с ней не связан?

— Именно это я и хотела сказать. Киллер в данном случае тоже не подходит. На тот момент не было у твоих родителей смертельных врагов. Это

первое, что проверили самым тщательным образом.
К тому же логичнее было начать с Алексея. А еще
логичнее устранить обоих разом.

— Случайное убийство?

— Другого объяснения нет.

Я подумала, что она почти дословно повторяет
слова отца. Впрочем, скорее всего, они это не раз
обсуждали. Нина, должно быть, считала разговор
оконченным и очень удивилась, когда я продолжила:

— Мама переживала из-за своей измены... и
вполне могла рассказать все папе, несмотря на дан-
ное вам слово.

— Твоя мать — умная женщина, с какой стати
ей разрушать свою жизнь, каясь в былом грехе, если
она сразу этого не сделала?

— Но ведь папа мог догадаться. Вы же обратили
внимание на кое-какие странности, а ему что мешало?

— Мужики, Нюся, мало что видят и о любовниках жены в основном узнают последними. Что ты от
меня хочешь? Точнее, в чем ты подозреваешь своего
отца?

Вопрос вызвал легкую оторопь. Хотя Нина права... Чего я, собственно, добиваюсь? Пытаюсь понять, а не скрывает ли от меня отец какую-то страш-
ную тайну? Кстати, почему бы и нет? Это лишь на
первый взгляд кажется, что подобное — нелепость.
Предположим, мама сбежала с любовником, и отец
об этом знает. И молчит, дабы не бросить тень на
светлый образ матери. Я это серьезно? Бред. Хотя
есть люди, которые, пожалуй, могли решить: бес-

следно исчезнувшая мать лучше матери, бросившей свою семью ради любовника. Но это точно не про моего отца.

— Я была слишком занята собой, — ответила я, разводя руки, — и понятия не имела, что здесь происходит, а теперь хочу выяснить. Что в этом плохого? Мы ведь с вами близкие люди, вполне естественно поговорить по душам.

Я продолжила в том же духе, даже не желая гадать, кому пытаюсь морочить голову, Нине или себе. Нина все выслушала, криво усмехнулась и спросила:

— Ты считаешь, в тот вечер между ними что-то произошло? Твоя пьяная мать выболтала свой секрет? И они поссорились?

— Они ночевали в разных комнатах.

— Вот как? Тебе отец сказал?

— Прочитала в газетах. Папа объяснил это тем, что выпил лишнего, а выпив лишнего, он храпит. Но, по вашим словам, он не был пьян...

— Пьяные женщины ненамного приятнее мужчин.

— И тоже храпят?

— Твой отец так предпочел сказать следователю, чтобы у того не возникло мысли, будто твоя мать дружила с бутылкой. Мы все знаем, что это чушь, но они могли решить именно так. Твой отец — джентльмен.

«Кто спорит, — подумала я. — Интересно, что еще он предпочел скрыть, чтобы не бросить тень на жену».

— Я не знаю, что у них произошло дома. Раз уж меня там не было, мои слова мало что значат, но...

твоя мать выпила лишнего не с горя, а с радости. В тот вечер мы все были счастливы: такое не часто бывает, даже со старыми друзьями. Я еще порадовалась, глядя на нее: кризис прошел, и теперь все хорошо. И твой отец смотрел на жену любящими глазами. Короче, она не напивалась с горя, чтобы набраться храбрости и покаяться в грехе.

— Надеюсь, что так, — кивнула я, подумав при этом: «Отец смотрел на нее любящими глазами, она была счастлива, но легли они в разных спальнях».

Почему бы и нет, кстати? Они ведь не юные любовники, и общая постель никуда от них не денется. Утром отец предпочел не будить ее и уехал на работу. А мама отправилась в офис ближе к обеду. Теперь понятно почему. Но что-то во всем этом мне упорно не нравилось. На самом деле мне не нравилось письмо за маминой подписью и мои глюки. Или не глюки.

В этот момент из дома вышел Илья, потянулся, потер глаза и направился к нам. Нина заметно напряглась, а я подумала: чего она боится? Ее пугает, что я продолжу разговор при Илье? С какой стати?

— Если ты хочешь переодеться, то нам пора, — все еще позевывая, сказал Вяземский-младший.

Я кивнула, поднимаясь.

— Спасибо, Нина Дмитриевна. Пойду скажу всем «до свидания».

Она улыбнулась и помахала рукой, вздохнув с заметным облегчением.

Через несколько минут мы уже были в машине Ильи. Отца я предупредила, что ночевать буду у себя. Вернусь, скорее всего, поздно, вот и не хочу его беспокоить.

— Надеюсь, вы отлично проведете время, — улыбнулся папа.

Когда мы уезжали, родители стояли возле беседки и смотрели нам вслед. Нина была рядом с моим отцом и выглядела слегка встревоженной.

— Чем тебя маменька грузила? — спросил Илья. — Небось сетовала, что я идиот, раз до сих пор не сделал тебе предложение?

— Твоя мама куда умнее, чем ты думаешь. И это я ее грузила.

— Ты? — вроде бы удивился Илья.

— Жаловалась, что ты до сих пор не сделал мне предложение, — усмехнулась я.

— Вполне возможно, что этим все и кончится, — в тон мне ответил он. — Лучшей жены мне все равно не найти.

— Ты не привередлив.

— Ничего подобного. Ты умна, у тебя есть чувство юмора, к тому же ты красавица. Да еще с приданым. Я знаю тебя сто лет, и ты никогда не действовала мне на нервы.

— Все еще впереди.

— Ну да, — кивнул он. — Но выйти замуж все равно придется, почему бы не за меня?

— Звучит очень романтично.

— Маменька всегда твердит: надо смотреть не друг на друга, а в одну сторону.

— Кто ж будет спорить с маменькой?

— Давай махнем на Гоа? Или на Бали. На полгода, на год... Как тебе идея?

— Идиотская.

— Я серьезно.

— Я тоже.

— На тебя не угодишь, то тебе романтизма не хватает, то...

— А как же твоя адвокатская практика? И мои шляпы?

— Твои шляпы подождут, и моя адвокатская практика тоже. Поживем в раю, заодно поймем: нужны ли мы друг другу?

Я подумала, что идея не так уж и плоха, но сказала совсем другое:

— Я разговаривала с Ниной Дмитриевной о своих родителях. О том, что произошло в тот вечер, когда они были у вас в гостях. В последний раз...

Илья притормозил и посмотрел на меня внимательно, а я продолжила:

— Между ними что-то происходило...

— Ты имеешь в виду... Да, — кивнул он, — я ведь в тот вечер был у предков, и твоя мать... она...

— Выпила лишнего? — подсказала я.

— При мне не особо. Я ушел часа через два, оставив их предаваться воспоминаниям. Она была... какая-то дерганая. Смеялась невпопад... точно под кайфом. Извини...

— Точно под кайфом? — нахмурилась я. — А мой отец?

— Как обычно, — пожал он плечами. — Она то и дело обращалась к нему. Вроде как подначивала. И просто сыпала предложениями: давайте то, давайте это... Я еще подумал, такое впечатление, что она чувствует себя виноватой.

— Перед отцом?

— Наверное, — неуверенно ответил Илья. — Знаешь, когда отчебучишь чего-нибудь, а потом хочешь подмазаться... Черт, что-то не то я говорю...

— Все нормально. Я сама полезла с расспросами.

— Можно узнать почему? Все это время ты предпочитала... не говорить об этом. Мамуля даже предупредила: «При Нюсе ни слова о Татьяне».

— Она так говорила?

— Ну да. Все старались тебя оберегать.

— А что ты думаешь о моей матери?

— В каком смысле? — удивился Илья.

— Что она за человек?

Вопрос поставил его в тупик.

— Ты это серьезно? — неуверенно произнес он.

— Еще как.

— Ну... хороший человек... Я ж ее с детства знаю. Всегда с подарками приходила... Вертолет мне из Америки привезла, помнишь?

— А кроме вертолета?

— Я понимаю. Это звучит ужасно глупо, но... именно так оцениваешь друзей своих родителей. Она никогда не сделала ничего такого, чтобы я мог решить: она злая. Или вредная. Ценные сведения, а? Кстати, а что ты можешь сказать о моих родителях?

— Примерно то же, — ответила я.

— Я планирую на тебе жениться, — хмыкнул он, — но это в будущем, а в настоящем... я твой друг. Ведь так? — Теперь спрашивал он серьезно.

— Так, — кивнула я.

— Тогда скажи, что происходит?

Можно было повалять дурака, но не хотелось. И я ответила:

— В день рождения я получила письмо по электронке. Подписанное мамой. С поздравлением.

— Ничего себе... — пробормотал он. Судя по всему, новость произвела на него впечатление. — Ты... думаешь... это она? — слова Илье давались с трудом.

— Я думаю, это дурная шутка. Да вот в голову не приходит, кому вдруг вздумалось так шутить.

— Да уж... странно. Я бы сказал, очень странно. А твой отец? Он писем не получал?

— Не знаю. Возможно. По-твоему, следует поинтересоваться?

— Сказать ему о письме — вне всякого сомнения. Чушь какая-то... Если бы он получил от нее письмо, то непременно бы сообщил... следователю и, конечно, тебе...

Мы посмотрели друг на друга, и, судя по выражению его лица, мысли наши были схожими.

— Давай попробуем отследить это письмо, — через полминуты предложил Илья.

— Это возможно?

— Надо попробовать. Есть у меня один умелец... Хочешь, привезу его завтра?

— Хочу. А сейчас давай забудем об этом, — сказала я. — Меня и так совесть мучает, я испортила тебе вечер.

— Глупости. Не вздумай от меня ничего скрывать. Наш союз будет основан на доверии.

— И долго не протянет.

— Это еще почему?

— Есть вещи, о которых лучше не знать.

— Например?

— Включи воображение.

— Типа того, что я пукаю во сне?

— Хороший повод отказать тебе в руке и сердце, — засмеялась я, а он кивнул:

— Понял. Без таких откровений мы, пожалуй, обойдемся. А вот все остальное... помни, я всегда на твоей стороне.

На этой оптимистичной ноте мы и закончили. Илья привез меня домой и вместе со мной поднялся в квартиру. Сказал, что хотел бы взглянуть на письмо, но я возразила. Это вполне подождет до завтра. Разговор с Ниной оставил неприятный осадок, я так и не поняла почему, вот и спешила отвлечься.

Я переодевалась, а Илья хозяйничал в моей кухне, приготовил кофе, потом раскритиковал мой наряд, с его точки зрения, чересчур скромный.

— Юбку можно покороче, а вырез поглубже, — заявил он, когда я появилась в кухне.

Я показала средний палец, и дискуссия на этом закончилась.

По дороге в ресторан мы говорили исключительно о пустяках, но, хорошо зная Илью, я не сомневалась: мысленно он то и дело возвращался к моим словам.

Парковка была забита машинами. Автомобиль Ильи пришлось оставить на противоположной стороне улицы. Возле входа в ресторан толпился народ, такое впечатление, что мы на мировой премьере или концерте рок-группы. Хозяин ресторана обретался в холле, желая каждого поприветствовать лично, что и создало толпу на входе.

Котов был другом Ильи еще со школы и моим

тоже, раз уж мы долгое время были с Ильей неразлучны. В приталенной рубашке и узких джинсах он выглядел довольно забавно, рост у него самый что ни на есть средний, а вот десятком лишних килограммов он обзавестись уже успел. Волосы его заметно редели год от года, и он стриг их так коротко, что сквозь них виднелась розоватая кожа. В настоящий момент он был красным, точно рак, и отчаянно потел, хотя кондиционеры работали на полную мощность. Рядом с ним две девушки торопливо делали пометки в списках приглашенных. Обе были похожи, словно сестры, и обе — любовницы Кота, так называл Илья друга еще со времен их общего детства.

— О, привет, — шагнул Сергей нам навстречу. — Очень рад, что пришли. Анжела, какой у них столик?

— Семнадцатый, — ответила Анжела.

— Семнадцатый, — повторил Сергей. — Вы будете вдвоем, я подойду попозже, а сейчас извините...

Мы собрались пройти в зал, и тут я услышала за своей спиной:

— Классная задница... — Обернулась и в двух шагах от себя увидела мужчину лет тридцати, он нахально меня рассматривал, сунув руки в карманы джинсов. Одного взгляда на него хватало, чтобы понять: парень родился в рубашке, причем не в простой, а в самой что ни на есть эксклюзивной, стоившей прямо-таки немыслемых денег.

— Вы мою задницу имеете в виду? — спросила я, а он развел руками, мол, чью же еще. — Удивили. Я думала, вам по нраву другие задницы.

Парень засмеялся, но смотрел недобро.

— Сам напросился, — протягивая ему руку, сказал Илья, — нечего цепляться к моей девчонке.

— Твоей девчонке, — хмыкнул тот, пожимая руку. — Ты уверен?

— Иди к черту, Лео.

— Познакомишь нас?

— Лео — это Леопольд? — влезла я. — Как в мультике?

— Холодно, милая, — вновь хмыкнул он и обратился к Сергею: — Как зовут твою гостью, Кот?

— Анна, — ответил Котов, торопясь навстречу очередным прибывшим.

Лео повернулся ко мне и сказал:

— Нюська тебе подходит больше.

Бог знает откуда появившиеся девицы подхватили его под руки, и он отправился с ними в зал, весьма довольный собой.

— Не обращай внимания, — сказал Илья, обнял меня, и мы отправились следом.

Распорядитель в зале указал нам семнадцатый стол, совсем крохотный, но я порадовалась, что мы будем вдвоем. Лео оказался неподалеку, за столом, кроме него и девиц, сидели еще двое типов, поглядывающих по сторонам с надменными улыбочками.

— Кто это? — спросила я Илью.

— Где?

Я закатила глаза.

— Придурок, нахамивший мне в холле.

— А-а-а... Лео Берзинь. Неужто не слышала?

— Он что, звезда сериалов? Хотя сериалы я не смотрю.

— У него изжога начнется, если он узнает, что ты ничего о нем не слышала.

— Он в самом деле Леопольд?

— Нет. На самом деле он Леонид, но, согласись, называть его Леней язык не поворачивается. Так что он еще со школы Лео.

— А чем знаменит?

— Ну... фамилия в городе известная. Его папаша сколотил состояние в девяностые. Сейчас об этом стараются не вспоминать, но он был обычным бандитом. Впрочем, нет, не обычным. Очень удачливым. Не только бабла нахапал, но и жизнь сохранил. И даже не привлекался ни разу. Сынка отправил учиться в Англию. Тот знает два или три языка, выглядит кинозвездой, в чем ты сама можешь убедиться, но, по сути, мало чем отличается от папаши. Яблоко от яблони... Берзинь-старший формально от дел не отошел, но, говорят, всем сынок заправляет. И папаше иногда приходится его сдерживать. Уж очень крут. А «очень» в понимании его папы и нашем с тобой вряд ли совпадают. Мой отец как-то сказал об этой семейке: для них в таких вопросах, как убить или не убить, нет дилеммы. Им куда труднее выбрать галстук.

— Мнению твоего отца я склонна доверять.

— Я тоже. Впрочем, сыночек от папаши все-таки отличается, и не только внешним лоском. Умнее, хитрее, расчетливее...

— И подлее, я думаю, — добавила я. — Похоже, ты с ним хорошо знаком.

— Кот с ним дружит.

— Кот дружит со всеми.

— Такой уж он человек, — пожал плечами Илья.

В этот момент на импровизированную сцену поднялся хозяин ресторана. Все дружно захлопали, выкрикивая приветствия, и вечер начался. Надо признать, он удался. Было по-настоящему весело и интересно. Лишь одно грозило его испортить: меня так и подмывало повернуть голову, чтобы взглянуть, что происходит за столом Берзиня. Одна из девиц пристроила голову на его груди. Не бог весть что, но почему-то я это отметила. Особо удивляться моему любопытству не приходилось, раз уж мы с Ильей потратили столько времени на разговор об этом типе. И все-таки я бы предпочла забыть о нем. Мгновенная амнезия. И, словно против воли, я вновь поворачивала голову. Один раз наши взгляды встретились, и он нахально мне подмигнул, разом отбив охоту оглядываться. Жаль, что надолго меня не хватило.

Продолжая наблюдать за ним, я констатировала: никакого интереса ко мне он не проявлял. Зато отлично проводил время. По невероятной причине это показалось обидным. Я даже домой засобиралась, вызвав глубочайшее удивление Ильи: все отлично, завтра выходной, так куда спешить? В конце концов я решила получать удовольствие, что вполне удалось.

Когда гости стали разъезжаться, мы столкнулись с Берзинем в холле еще раз. Собственно, назвать это стычкой все-таки нельзя. Он заметил нас, когда мы шли к выходу. Двумя пальцами указал на свои глаза, потом на меня и послал воздушный поцелуй. Одна из девиц, которая была с ним, обратив на это внимание, что-то спросила, он ответил, и оба весело засмеялись. А я покраснела. Злясь на себя и на Лео. Понятно, что смеялись они надо мной. Ну и хрен с ними. С какой стати принимать это близко к сердцу? В общем, я покинула ресторан, мысленно матюгаясь. Илья добавил масла в огонь, вдруг заявив:

— Не вздумай в него влюбиться. — В голосе слышалась неподдельная тревога, и это окончательно доканало.

— Он что, педик? — скривилась я.

— Если бы, — закатил глаза старый друг. — Ты же видишь, сколько девок возле него вьется? И зря стараются, между прочим. Для таких, как он, чувства ничего не значат. А ты девушка романтичная.

— Это кто сказал?

— Ты заслуживаешь кого-то получше Лео Берзиня.

— Сама знаю. Я — девушка-мечта и заслуживаю самого лучшего.

Илья довольно кивнул, и на этом можно было бы поставить точку, но пока мы шли к машине, Берзинь с двумя девицами появился на парковке. Само собой, тачка у него оказалась спортивной и, конечно, дорогой.

— Просаживать папашкины деньги и дурак сможет, — заявил Илья, он, как и большинство мужчин, к машинам относился ревностно.

— Так он — дурак? — порадовалась я.

— Нет, — заводя машину, отозвался Вяземский с заметной неохотой, ибо воспитан был правильно и врать не любил. — Соображает неплохо, да и в Англии его чему-то научили. По общему мнению, он талантливый парень, и предпринимательская жилка у него есть... а также паскудный характер и полное неуважение к остальному человечеству.

— Может, тогда не стоит тратить на него столько времени? — спросила я.

— Я проявляю беспокойство, что вполне естественно. Девушки, особенно романтичные, часто влюбляются не в тех.

— Это то, что роднит нас с мухами, — кивнула я. — Вечно тянет на дерьмо.

Само собой, предостережения Ильи никак на меня не подействовали, да и кого они когда-нибудь останавливали? Я продолжала думать о Берзине, оправдываясь, что помечтать о том, как я утру ему нос, не вредно. Но в реальной жизни нам лучше не встречаться.

Через полчаса мы простились с Ильей возле моего подъезда, вопросительно взглянув друг на друга и поцеловавшись. Вполне дружески. Стоит ли торопиться с объятиями, если наша большая любовь отложена на потом. Поднимаясь на лифте, я, как обещала, отправила папе СМС: «Я дома», вошла в квартиру, сбросила туфли, и тут раздался сигнал домофона. Я решила, что это Илья, и пошла открывать, гадая, что ему вдруг понадобилось. Неужто решил светлое будущее не откладывать и немедленно заняться любовью? Это он не угадал, сегодня явно не его день.

Готовясь произнести что-нибудь веселое, я подошла к двери, взглянула на экран домофона и пораженно замерла. Женщина в белом плаще стояла, опустив голову, лампочка у подъезда была тусклой, и изображение — слегка размытым, но когда, шагнув в сторону, она подняла лицо, я уже не сомневалась: передо мной моя мать.

— Мама, — пробормотала я, хватая трубку, и заорала отчаянно: — Мама!

Женщина вздрогнула, точно от испуга, и вдруг исчезла с экрана.

Я нажала кнопку, открывая дверь подъезда, но в подъезд так никто и не вошел.

— Мама, — беспомощно повторила я и бросилась из квартиры.

На то, чтобы спуститься вниз, потребовалось несколько минут, когда я распахнула дверь подъезда, двор был пуст, но на выезде из двора стоял джип с тонированными стеклами. Тут я вспомнила, что не взяла ключи. Если дверь закроется, придется торчать во дворе или ехать к отцу, поднять его с постели среди ночи. Соседей в это время беспокоить уж точно не стоит. Однако вернуться к себе, так ничего и не выяснив, то есть даже не попытаться, я не могла.

Взгляд мой упал на урну, стоявшую рядом с дверью, я попробовала подтянуть ее к двери, однако она оказалась намертво прикрученной к асфальту. Оставалось одно: сунуть тапку под дверь, что я и сделала. И теперь оглядывала двор. Белый плащ в темноте должен быть заметен. Никакого движения. Я прошла до конца дома, то и дело косясь на джип. Затем решительно направилась к нему.

Где-то на полдороге я услышала, как заработал мотор, ускорилась, а джип тронулся с места.

— Эй! — крикнула я и, поняв, что останавливаться он не намерен, стукнула рукой по заднему крылу.

Обычно водители на это реагируют сами знаете как. Притормозил бы уж наверняка. Но этот поспешно скрылся.

Я попыталась запомнить номер, не особо на это рассчитывая, в состоянии ирреальности, в котором я находилась, буквально все вызывало сомнения.

Поспешно вернувшись к подъезду, я обулась и, поднявшись по лестнице, некоторое время сидела на подоконнике между первым и вторым этажами, таращась в окно. Ничего не происходило, во дворе по-прежнему ни души. Я гадала: была ли в той машине моя мать? И пыталась решить, что делать дальше. Рассказать отцу? Что за причина заставляет мою мать вести себя подобным образом? Какой в этом смысл? Допустим, у нее есть для этого повод. Сейчас не важно какой. Она ищет встречи со мной. Со мной, а не с отцом. В обоих случаях она бросилась бежать, не сказав мне ни слова. Ее кто-то напугал? Водитель джипа? Возле дома отца никаких машин не было. Может, это призыв к действию? И я должна сама найти ее? Честно говоря, я сомневалась, что это моя мать. Уж очень подобное поведение не вяжется с ее образом. Но похожесть пугала, и неизменное «а вдруг» сводило на нет все доводы разума.

Я вернулась в квартиру, но до утра так и проторчала возле окна и почти убедила себя: кто-то затеял со мной игру. Смысла в ней я не видела и о цели не догадывалась, но отцу решила ничего не рассказывать, пока не ясно, какое он имеет отношение к ее исчезновению. Эта мысль вызвала откровенную панику, но я точно знала: отмахнуться от нее не получится.

Утром, когда я еще крепко спала, явился Илья. Настойчивый звонок поднял меня с постели, на пороге я обнаружила старого друга в компании длинноволосого парня в мятой футболке и драных джинсах. Выглядел он так, словно неделю не спал, а обретался все это время на улице.

Представить, где и как пересеклись их пути с Вяземским, фантазии не хватило, но, судя по всему, они были давними приятелями.

— Привет, — сказал Илья. — Это Степа. Степа, это Аня.

Тот кивнул, глядя сквозь меня, и лаконично осведомился:

— Где?

Надо полагать, он имел в виду компьютер.

Я молча ткнула пальцем в нужном направлении, тоже решив на слова не тратиться.

Парень устроился за моим рабочим столом и принялся насвистывать, а Илья шепнул мне:

— Степа — гений, вот увидишь...

Что я увижу, осталось до конца не ясным. Степа спросил пароль, вошел в мою почту, нашел нужное письмо. Дальше начались странности. Письмо содержало файл, в котором, собственно, и было поздравление. Открытка с розочками и коротким текстом. Степа кликнул на квадратик файла с намерением его открыть, в ту же секунду изображение начало точно растекаться по экрану. Степины пальцы порхали по клавиатуре, квадрат исчез, а Степа выругался.

— Что? — спросил Илья, как и я, плохо понимая, что происходит.

— Ты файл только один раз открывала? — повернулся ко мне Степа.

— Да.

— Ясно.

— Мне — нет, — честно сказала я.

— При попытке сделать это вторично включается программа самоуничтожения.

— Ну и?.. — нахмурился Илья.

— Ну и файла больше нет.

— А такое возможно?

— Ты же видишь.

Некоторое время мы таращились друг на друга, потом я спросила:

— Ты можешь что-нибудь узнать о том, кто письмо отправил?

Его руки вновь заскользили по клавиатуре, некоторое время мы молча наблюдали, стоя за его спиной, потом, решив не досаждать, переместились на диван.

Наконец Степа повернулся к нам и сказал удовлетворенно:

— Крутой чувак.

— Ты? — не дождавшись продолжения, спросила я.

— Не-а. Он. — Степа ткнул пальцем в экран за своей спиной. — Я могу потратить еще кучу времени, но вряд ли что найду.

— Супер, — расплылась я в улыбке. — Спасибо за помощь.

— Реально крутой чувак, — кивнул он.

— Почему чувак? Это не может быть женщина?

Он пожал плечами, давая понять, что сие не особо его волнует, и потопал к входной двери. Так как он не разулся при входе, то и обуваться ему не пришлось, в общем, он покинул нас весьма быстро.

— Гений, — сказала я. — И парень классный. Влюбиться, что ли?

— Ну зачем ты так... — вздохнул Илья. — Если Степа чего-то не смог, значит, сделать это в принципе невозможно.

— Я что, спорю?

Илья некоторое время смотрел куда-то перед собой и вдруг заявил:

— Хреново.

— А то, — кивнула я.

— Ты понимаешь, что происходит? — нахмурился он.

— Письмо исчезло.

— Я не об этом.

— А о чем?

— Дурная шутка теперь шуткой вовсе не кажется.

— Она мне с самого начала не приглянулась.

— Нюся, — укоризненно произнес он. — Все куда серьезнее... Ты понимаешь?

— Когда ты дважды задаешь один и тот же вопрос, я начинаю чувствовать себя идиоткой. Я ее видела, — помедлив, сказала я, держать это в себе не было сил. Кому ж довериться, как не старому другу, да еще без пяти минут мужу.

— Кого? — не понял он, бестолковость в данном случае извинительная.

— Маму.

На сей раз Илья даже спрашивать ничего не стал, только моргнул в полном обалдении, а я рассказала о встрече возле дома отца и ночном визите.

— Если бы не письмо, — выслушав меня, заговорил он, — я б решил: ты не в себе.

— Так и есть. Мозги закипают, когда я думаю об этом.

— Ты уверена, что это твоя мать?

— Нет. Не уверена. И слава богу.

— В смысле?

— В смысле, если это в самом деле она, значит, моя мать спятила. Другого объяснения я не нахожу.

— Бывают разные обстоятельства...

— Бывают. Вот только зачем показываться, а потом убегать?

— Не знаю.

— Если она смогла отправить поздравление, почему бы заодно не сообщить, что с ней произошло?

— Что, если... возможно, ее контролируют. Она может делать лишь то, что ей приказывают. Понимаешь, о чем я?

— Идиотская привычка.

— Что?

— Ты опять спросил: «Понимаешь?»

— Извини. Я нервничаю. Что ты собираешься делать?

— Понятия не имею.

— Отец в курсе?

— Нет.

— Почему?

— А ты подумай.

— Черт... Она очень на нее похожа?

— Очень. Но есть одно «но»: оба раза я видела ее ночью. И не имела возможности как следует рассмотреть.

— Допустим, это она. Ее исчезновение, а теперь и возвращение, скорее всего, связаны с деньгами. Будь это банальной любовной историей, к чему все эти тайны? Она сама или тот, кто ее контролирует... в общем, их цель, скорее всего, твой отец. Другой вариант: это просто похожая женщина, но цель и в этом случае та же самая. Других вариантов у меня нет.

— Может, кто-то решил свести меня с ума? Чем не вариант?

— А смысл?

— Удовольствие при виде моей безумной рожи.

— Тогда ты кому-то здорово досадила. Ничего не припоминаешь?

— Нет. Хотя потратила кучу времени.

— Значит, следует вернуться к более правдоподобной версии. Твоя мать исчезла четыре года назад. А вся эта хрень началась только сейчас. Так? Вопрос: почему? Что вдруг случилось?

— Возможно, отцу кое-что известно об этом, — пожала я плечами.

— Отчего бы не поговорить с ним?

Я взглянула выразительно, а он досадливо скривился.

— Тогда... выход один: ждать развития событий.

А что он мог еще предложить? Злилась я на него совершенно напрасно, в мою голову гениальные идеи тоже не заглядывали.

Простившись с Ильей, я отправилась к отцу с твердым намерением все ему рассказать, тем самым сняв с души тяжкий груз и переложив все на его плечи. В конце концов, родители для того и существуют.

Папа стоял на крыльце и что-то вертел в руках. Что-то похожее на конверт. Вид у него при этом был озадаченный. Отец улыбнулся мне и помахал рукой в знак приветствия, теперь сомнений не осталось: это действительно конверт.

— Привет, — громко сказал папа, когда я вышла из машины.

Я поднялась по ступеням и поцеловала его.

— Что это? — кивнула я на конверт в его руках.

— Сам не пойму. Только что вынул из ящика. Обратного адреса нет.

— Какая-нибудь ерунда. Кто сейчас отправляет письма по почте?

Мы вошли в дом, и он спросил:

— Как вчера отдохнули? — Письмо небрежно бросил на барную стойку.

— Отлично. Было очень весело.

— Вы с Ильей, по-моему, прекрасно ладите.

— Мы ведь друзья. К тому же у него нет девушки, по крайней мере, постоянной, а у меня нет парня.

— Вот как... а я, признаться, думал...

— Папа, — улыбнулась я, — мы с детства слышим от вас, что мы жених и невеста, и это уже не воспринимается всерьез. Хотя вчера Вяземский сказал, что планирует на мне жениться.

— А ты?

— Ну если ничего стоящего не подвернется... — Папа выглядел совершенно ошарашенным, а я засмеялась: — Шучу. По-моему, прежде чем выходить замуж, не худо бы влюбиться. Ты как считаешь?

Я подошла и обняла отца, а он погладил меня по спине.

— Илья — хороший парень. Надежный. И он тебя, безусловно, любит. Это же видно. По мне, так лучшего зятя и искать не стоит. Но тебе, конечно, видней.

Я слушала вполуха, прикидывая, как начать разговор. Ясно, что будет он нелегким для нас обоих.

— Пойду переоденусь, — сказала я, трусливо оттягивая время. — Поставь, пожалуйста, чайник.

Я отправилась в свою комнату, а папа сказал вдогонку:

— Как ты смотришь на то, чтобы пообедать сегодня в «Веранде»? Погода хорошая, потом можно немного прогуляться.

— Отличная идея, — крикнула я уже с лестницы.

Переоделась и начала бестолково сновать по комнате, даже вышла зачем-то на балкон. Под ложечкой противно сосало в преддверии разговора.

— Чай готов, — крикнул папа.

— Иду, — ответила я.

Взглянув на отца, я поняла: за время моего короткого отсутствия что-то произошло. Папа старался этого не показывать, но было заметно: он нервничает. Непроизвольно хмурился, взгляд вдруг становился отсутствующим. Он сервировал стол и говорил о всяких пустяках, то и дело улыбаясь, но мыслями был далеко от нашей кухни, улыбка на его лице выглядела точно приклеенная.

Продержался он минут двадцать, именно столько длилось чаепитие.

— Извини, мне надо кое-что сделать, — поднимаясь из-за стола, сказал он. — По работе... Несколько звонков... Не обидишься?

— Что ты, — удивилась я. — Конечно, нет.

Он уже выходил, когда я спросила:

— Что за письмо?

— Что? — не понял он.

— Письмо, — повторила я, — которое ты вытащил из ящика.

— А, письмо... ерунда. Реклама.

Он торопливо ушел, а я заглянула в мусорное ведро. Вскрытый конверт лежал сверху. И ничего похожего на рекламные буклеты. Вообще ничего.

Я поднялась на второй этаж, проходя мимо кабинета отца, прислушалась. Он с кем-то говорил по телефону. Голос звучал резко, но слов я не разобрала. Уже в своей комнате я малодушно решила: разговор с отцом можно отложить. Он чем-то расстроен, а тут еще я полезу со своими рассказами. Во мне зрела уверенность, что перемены в настроении отца связаны с полученным им письмом. Поэтому я и решила при первой возможности заглянуть к нему в кабинет.

Случилось это довольно скоро. Отец вошел в мою комнату и, отводя глаза в сторону, сказал:

— Нюська, я уеду... ненадолго... на час-полтора. Не возражаешь?

— Что-то случилось?

— Нет... то есть кое-какие проблемы на работе. Ерунда.

— Обед и прогулка остаются в силе?

— Да, конечно, — ответил он неуверенно.

— Хорошо. Я тебя жду.

Я понаблюдала в окно, как он выезжает за ворота, а потом пошла в кабинет. На столе у отца извечный беспорядок. Мама пробовала с этим бороться, но в конце концов махнула рукой. Отец каким-то фантастическим образом в этом нагромождении бумаг умудрялся отлично находить нужные.

Оглядев стол, я тяжело вздохнула. Как я отличу только что присланную бумагу от любой другой? Отец мог взять ее с собой, кстати. Или выбросить.

Я вытащила из-под стола корзину. На дне лежали обрывки бумаги. Вытряхнув их на ковер, я устроилась тут же, на полу, и попыталась их собрать. Это удалось довольно быстро. Газетная вырезка, какая-то экономическая статья без начала и конца. Место ей только в мусорной корзине, и взволновать отца она бы точно не смогла. Значит, искать придется в другом месте.

Перспектива не вдохновляла, а мысль о том, что я шпионю за отцом, вызывала отвращение, и тут я сообразила обрывки перевернуть. Сложив их другой стороной, пораженно замерла. Газетная статья была озаглавлена: «Девушка без имени». В ней говорилось о том, что под Северным мостом обнаружили труп девушки лет двадцати — двадцати пяти. На теле более десяти ножевых ранений, убийца буквально изрезал ее. А потом камнем или каким-то другим тяжелым предметом превратил ее лицо в кровавую кашу. Никаких документов при ней не оказалось, установить ее личность так и не удалось.

Далее следовали предположения автора статьи о причине подобной жестокости, от них он плавно перешел к возможным версиям. О том, что по поводу всего этого думали в полиции, в статье ни слова. Когда вышла газета, не ясно, а вот обнаружили труп за месяц до исчезновения мамы. Это может быть связано? Но как? В городе появился маньяк, и его следующей жертвой стала мама? Отец решил то же самое, вот и причина перемены в его настроении. Но зачем скрывать это от меня? На данный вопрос ответ найти нетрудно: он хотел уберечь меня от мыслей, какой страшный конец, возможно, был у моей матери.

Допустим. Но кто прислал отцу эту статью и с какой целью? А если это далеко не первое послание? И именно из-за них отец убежден: мамы нет в живых. Что же получается: какой-то чокнутый сукин сын забрасывает отца подобными письмами, чтобы продлить его мучения? «Забрасывает», возможно, преувеличение, но одно послание сейчас передо мной... Хотя и в этом нет стопроцентной уверенности: неизвестно, когда обрывки газеты полетели в корзину, несколько минут или несколько дней назад. Домработница приходила в пятницу, и мусор она бы, безусловно, вынесла. Получается, не раньше, чем в пятницу вечером. И вот еще: маловероятно, что такие письма уже были, иначе бы папа насторожился, едва вынув конверт из почтового ящика. А он смотрел на него скорее с недоумением и уж точно без страха. Вопрос: куда отправился отец?

Вопросов становилось все больше, а вот ответов на них я не находила, то есть они, конечно, возникали, но критики не выдерживали.

Оставаться в доме к тому моменту не было никакой возможности, меня неудержимо тянуло немедленно разобраться с семейными тайнами, которых оказалось в избытке.

Быстро переодевшись, я отправилась к Алле Шуговой. Кому, как не лучшей подруге матери, знать о том, что происходило четыре года назад.

Дом Шуговых едва проглядывал сквозь заросли деревьев. Я подошла к калитке, она была заперта, но створка ворот рядом приоткрыта. Этой узкой щели вполне хватало, чтоб в нее протиснуться. Собственно, проще было воспользоваться домофоном, но к тому моменту я уже разглядела машину отца на подъездной дорожке и решила не спешить являть себя хозяевам. Поднявшись на крыльцо, я потянула входную дверь на себя, и она открылась.

В доме абсолютная тишина. Постояв немного в холле, я двинулась в направлении кухни. Она выходила на большую веранду, где в тот момент были Алла и мой отец. Их разговор я не слышала, а вот видела их прекрасно. Отец стоял, сунув руки в карманы брюк, и что-то разглядывал у себя под ногами. Алла полулежала в шезлонге, и ее взгляд, обращенный к отцу, вызвал у меня беспокойство. Это был взгляд влюбленной женщины, его ни с каким другим не спутаешь, оттого в груди так противно заныло.

Отец, должно быть, собрался уезжать, что-то сказал и повернулся к двери. Алла мягко, точно кошка, поднялась с шезлонга, положила руку на грудь отца и его поцеловала. Поцелуй был недолгим и вовсе не страстным, по крайней мере, со стороны отца. Все это выглядело скорее ритуальным прощанием супругов, и в тот момент это резануло куда больше, потому что выходило: их отношения, в наличии которых я не сомневалась, длятся уже давно. Отец кивнул и пошел с веранды, а я бросилась в холл, не желая с ним встречаться.

Первой мыслью было выскочить на улицу, но там отец мог меня увидеть. Мне ведь потребуется время, чтобы добраться до калитки. В результате я спряталась в огромном шкафу-купе, стоявшем в холле, едва успев задвинуть створку.

Шаги отца, входная дверь хлопнула, и все стихло. С улицы вскоре донесся звук работающего двигателя, а я осторожно выбралась из шкафа. Алла оставалась на веранде. Лежала, вытянув ноги, и с мечтательным видом накручивала на палец прядь волос.

Алла была моей крестной, я всегда ее любила, но теперь, глядя на нее, стискивала зубы от злости и отвращения. Чертова притворщица! Такие сцены способны навеки отбить охоту заводить подруг.

Я спешно покинула дом. Калитка с этой стороны открывалась простым нажатием кнопки. Ворота были прикрыты, но не заперты. Я подумала: где сейчас муж Аллы и знает ли он о ее отношениях с моим отцом? Если честно, очень хотелось, чтоб узнал, прямо сейчас.

Видеть Аллу я не желала и отправилась в сторону остановки автобуса, потому что приехала сюда на такси. Однако по дороге мои намерения изменились. Я вдруг решила вернуться и с крестной поговорить. Отец получил письмо и сразу отправился к ней. Хотя, строго говоря, их встреча могла и не быть связана с письмом. Но... вдруг Алле об этом что-то известно? Вопрос, захочет ли она откровенничать. Почему бы и нет, в конце концов? С какой стати я записала ее во враги? Их связь с отцом могла возникнуть уже после исчезновения мамы и никак с ним не связана. От этой мысли стало не по себе. Я что, подозреваю родного отца? «Кому отец, а кому муж, — с мрачной ухмылкой подумала я. — А когда дело касается мужей и жен, все далеко не однозначно».

Достав мобильный, я набрала номер Аллы. Она не отвечала довольно долго, то ли раздумывала, стоит ли отвечать, то ли просто телефона не было под рукой.

Голос звучал в высшей степени приветливо.

— Анечка, — пела она, — чем занимаешься, солнышко?

— Можно я к тебе приеду? — запела я в ответ. — Надо поговорить.

С Аллой мы были на «ты», и звала я ее всегда по имени.

— Конечно. Ты где?

«Хороший вопрос...»

— Я сегодня у папы. Подъеду через двадцать минут.

— Жду, милая.

Ровно двадцать минут я бродила на соседней улице, а потом отправилась к дому Аллы.

Калитка оказалась не заперта, Алла по-прежнему была на веранде. На небольшом столике стоял заварочный чайник, розетка с моим любимым вареньем и две чашки. Все говорило о том, что меня здесь ждут и мне рады.

Алла поднялась и заключила меня в объятья.

— Не боишься держать калитку открытой? — спросила я, хотя могла бы обойтись и без этого. Недавнее раздражение давало себя знать.

Алла чуть нахмурилась, но тут же с усмешкой произнесла:

— Чему быть, того не миновать. Я боялась не услышать звонок...

— Виктор Николаевич дома?

— Уехал к матери. В воскресенье он сопровождает ее на рынок. Садись. О чем хотела поговорить?

Она стала разливать чай, с улыбкой поглядывая на меня. Ни слова о том, что мой отец полчаса назад был здесь.

— Я хотела спросить... о маме...

Алла вновь нахмурилась, потом потрепала меня по плечу.

— Бедная моя девочка. Представляю, как тебе тяжело. Нам всем ее ужасно не хватает.

— Мы с тобой друзья, — сказала я, и Алла поспешно кивнула, — поэтому я обойдусь без длинных вступлений. Отец с матерью в последнее время не ладили?

Она нервно дернула плечами, словно торопясь возразить, но, взглянув на меня, тяжко вздохнула.

— Это вовсе не то, что ты думаешь, — произнесла после паузы.

— А что я думаю?

Теперь она досадливо поморщилась.

— Они не собирались разводиться. Знаешь, когда долго живешь с человеком, бывают всякие периоды. Спокойные и не очень.

— У них был беспокойный?

— Почему ты вдруг...

— Почему я стала задавать эти вопросы сейчас? — подсказала я. — Сначала просто ошалела от горя, а теперь возникло желание понять.

— Что понять?

— Как они жили без меня, к примеру.

— И не виноват ли в том, что произошло, твой отец?

Неожиданный вопрос... впрочем, учитывая, что отца подозревали в исчезновении мамы, вполне логичный.

— Я даже думать об этом не хочу, — покачала я головой. Правды в этом ответе только наполовину. Да, не хочу. Но повод так думать, к несчастью, есть.

— Он не виноват, — сказала Алла. — Твой отец всегда ее любил. Всегда.

— А она его?

— Разумеется.

— И у нее не было любовника? — спросила я, испытывая странное чувство, точно речь шла вовсе не о моей матери, а о ком-то чужом и почти незнакомом.

Алла возмущенно вытаращила глаза, готовя, судя по всему, гневную отповедь. Но вдруг сникла. Покусала нижнюю губу и буркнула:

— Нинка проболталась?

— Кое-что в ее словах насторожило. Поэтому я и пришла к тебе. Вы с мамой лучшие подруги, кто может знать о таких вещах, если не ты?

— Видишь ли... — Алла тяжело вздохнула. — Не знаю, что тебе рассказала Нина... Но... и она, и я... мы очень хорошо относились к твоему отцу. Если честно, мы всегда были немного в него влюблены. Ерунда, конечно...

«Вот уж не знаю», — подумала я, вновь вспомнив недавнюю сцену, а Алла продолжила, подбирая слова:

— Мама об этом прекрасно знала. Это было предметом наших бесконечных шуток. И...

— Вы бы ее измену не одобрили? — решила я прийти ей на помощь.

— Вот именно. Сравнение с твоим отцом выдержит далеко не каждый. Когда ты минуту назад спросила, я подумала: вдруг она доверилась Нине? Даже обидно стало...

— Но мой вопрос тебя не удивил.

Она покачала головой, точно досадуя на мою настойчивость.

— С ней что-то происходило... твой отец страдал, мы это видели. Он, конечно, молчал, и она молчала.

— То есть ничего, кроме догадок? Предположим, отец завел любовницу. Мама об этом узнала и...

— Чушь собачья, — перебила Алла. — Твой отец здесь ни при чем... Ладно, расскажу все как есть. У меня квартира осталась от родителей, я собиралась ее продать, но все руки не доходили. За пару месяцев до исчезновения твоей мамы она вдруг спросила, не могу ли я дать ей ключи. Вроде бы кто-то из родственников ее знакомых приезжает на учебу. Я, конечно, дала. А потом стала замечать... Когда разговор заходил о твоем отце, она словно замыкалась в себе. Сначала я, как и ты, подумала... в общем, решила, что твой отец... И попыталась вывести ее на разговор. Но она вдруг страшно разозлилась. Даже сказала: не пойму, с кем вы дружите, с ним или со мной? Вот эта фраза и заставила меня на все взглянуть по-другому. При встрече я в шутку спросила: «Ты в квартире с любовником встречаешься?» Реакция была очень бурной: «Зачем я к тебе обратилась», и все такое. В общем, я поняла, что ненароком угадала. Но продолжить разговор не решилась, боясь потерять подругу.

— Но любопытство мучило, — подсказала я.

— Мучило, — кивнула Алла.

— И ты решила заглянуть в квартиру?

Она пожала плечами.

— В квартиру я не заглядывала, но как-то проследила за Татьяной. В свое оправдание могу сказать: вышло это случайно. Встретила ее в магазине, хотела подойти, но... магазин был неподалеку от квартиры родителей, вот я и подумала... В общем, поехала за ней. Она действительно отправилась на квартиру, пробыла там чуть больше получаса. За это время никто из мужчин не появился. Татьяна уехала, а я еще с полчаса ждала. Надеялась, ее любовник покинет гнездышко вслед за ней.

— Покинул?

— Нет. — Она вдруг отвела взгляд.

Что-то ее беспокоило, и я подумала: «Возможно, рассказывает она далеко не все».

— То есть ни с кем она в тот день не встречалась? Привезла продукты родственнику своих знакомых... Соседи его, кстати, видели?

— В этом-то все и дело... — пробормотала она себе под нос, вроде бы пытаясь решить: продолжать или нет. — Не знаю, стоит ли говорить...

— Стоит.

— Через десять минут после Татьяны из подъезда вышел мужчина. Только он совершенно не годился в любовники.

— Человек другого круга?

— Если бы, — хмыкнула Алла. — Просто не годился. На вид лет семидесяти. Правда, крепкий такой старик. И... неприятный. Бывают такие лица... В общем, ни намека на старческое благообразие. Само собой, я решила, что к Татьяне он не имеет ни малейшего отношения...

— Но потом...

— Потом выяснилось: соседи его видели, и жил он в моей квартире. Съехал примерно недели за три до ее исчезновения. По крайней мере, твоя мать вернула ключи.

— А что по этому поводу решили в полиции? — Вопрос повис в воздухе, и я с усмешкой продолжила: — Только не говори, что им об этом ничего не известно.

— Сама подумай, я не видела его с твоей матерью... И о том, кто жил в квартире, узнала от соседки совсем недавно. А тогда просто не связала их вместе...

— И что ты думаешь об этом старике?

— Ничего. Возможно, действительно чей-то родственник, которому она решила помочь.

— Почему бы ей тогда не рассказать тебе о нем буквально в двух словах?

— Вот уж не знаю...

— Он показался тебе неприятным типом. А что, если его появление и мамино скверное настроение были связаны?

— Логичный вопрос. Вот только кем он может быть? Почему о нем никто не знал? Твой отец уж точно...

— То есть об этом типе и моему отцу известно, но сообщать в полицию он не спешит?

— И правильно. Они, скорее всего, решат: он в очередной раз хватается за соломинку. Ты не представляешь, что пережил твой отец...

— Я-то как раз представляю, — перебила я. — Но если каждый из нас начнет что-то утаивать... Как мы разберемся в этой истории?

— Что ты утаиваешь? — встрепенулась Алла, а я закатила глаза.

— В отличие от вас, я была довольно далеко и имею слабое представление о том, что здесь происходило, оттого и пришла к тебе с вопросами.

Сообщать Алле о своих видениях я не собиралась. Теперь стало ясно: с откровениями лучше не спешить. У мамы были тайны, которые она не пожелала доверить лучшей подруге. Значит, вновь появилась надежда, что она жива и сейчас скрывается... появляясь передо мной время от времени?

По сути, разговор с Аллой ничего не дал. К прежним странностям добавился пожилой мужчина, который вряд ли мог быть любовником. Никаких родственников у мамы не было, она не раз говорила об этом. После гибели родителей ее воспитывала бабушка. Мама, мама... что же с тобой случилось?

От Аллы я уехала на такси и по дороге к дому отца, таращась в окно, продолжала задаваться тем же вопросом. Почему мама ничего не рассказала отцу? Или мне? Со мной более-менее ясно, не хотела загружать меня своими проблемами, да и пользы, наверное, не видела. Но с отцом они ведь были так близки... Хотя теперь я уже ни в чем не уверена.

Отца дома я не застала. И, пользуясь этим, тщательно обследовала комнату мамы, почти не сомневаясь, что делаю это напрасно. Однако шанс все же был. Я искала малейший намек на ответ: кто был тот самый пожилой мужчина? Полиция о нем не знала, но отец-то о его существовании знал. И, конечно, постарался бы выяснить.

Поиски пришлось прервать часа через два. Я услышала, как подъехала машина, и пошла встречать отца.

— Планы поменялись? — спросил он, целуя меня.

В голосе чувствовалось напряжение. Или мне это только кажется? Вряд ли. Алла наверняка ему позвонила, и о нашем разговоре ему известно. Но он, кажется, не собирается это обсуждать. Хотелось бы знать, почему? Боится, что вслед за одной недомолвкой всплывут другие? А мне что мешает? Подозрения? Это мой отец, я на его стороне, и любое объяснение меня устроит... В этом-то все дело... Я не нуждаюсь в объяснениях, я хочу знать правду...

Мы оба, несмотря на все старания, чувствовали неловкость, отец, как и я, должно быть, гадал, как поступить. Заговорить или нет? Тянул время. Неизвестно, чем бы это закончилось, но тут позвонил Илья.

— Есть новости? — спросил с беспокойством.

— Одна хорошая. Ты позвонил.

— Я серьезно.

— У меня есть для тебя маленькое, но ответственное задание, — внезапно приняв решение, сказала я.

— Готов на все. В меру сил.

— Ты справишься. Давай встретимся через пару часов.

Закончив разговор, я отправилась в свою комнату, предупредив отца, что планы вновь поменялись и я собираюсь провести вечер с Ильей. Папу это порадовало, правда, причина его радости осталась неясна: то ли вспыхнувшая надежда, что мы с Ильей свяжем себя брачными узами, то ли облегчение, что я покину дом.

В своей комнате я устроилась за компьютером и нашла в архиве газеты ту самую статью о трупе под мостом, скопировала ее, распечатала и просмотрела публикации вплоть до вчерашнего дня. Похоже, у этой истории продолжения не было. Сунув распечатку в карман сумки, я покинула дом.

Илья ждал меня в сквере возле театра драмы. Сев рядом с ним на скамью, я достала лист бумаги со статьей и протянула ему. Он пробежал глазами написанное и уставился на меня в глубоком недоумении. Игнорируя его взгляд, я широко улыбнулась.

— Что это? — спросил он.

— Статья в газете.

— Сообразил.

— У тебя есть возможность узнать: в этом деле есть какое-то движение?

— В смысле, выяснили менты, что это за девушка и кто ее убил?

— Ты действительно очень сообразителен, — подхалимски произнесла я.

— Видно, не особо, раз не могу взять в толк, с какой стати тебя это вдруг заинтересовало.

Ответ я подготовила заранее, у него было мало общего с реальностью, но звучал он вполне правдоподобно. Однако ничего говорить не пришлось. Илья нахмурился и добавил, исподлобья глядя на меня:

— Девицу обнаружили за месяц до исчезновения твоей матери. С чего ты взяла, что это как-то связано? Думаешь... какой-то псих убивает женщин?

— Разные мысли приходят в голову...

— Но... твою мать искали, и любой неопознанный труп... извини, — вздохнул Илья.

— Не извиняйся, я переживу. Может быть, следующий труп он спрятал куда лучше. Понимаешь, о чем я?

— Понимаю. Для кого-то эта девушка, возможно, до сих пор пропавшая без вести. Хорошо, я все узнаю. А сейчас, если не возражаешь, поговорим о чем-нибудь приятном.

Я не возражала, но о приятном все равно не получилось. Разговор то и дело возвращался к недавним событиям. Кончилось тем, что мы отправились в кино.

Утром я встала ни свет ни заря. Долго бродила по квартире и вздохнула с облегчением, поняв, что пора на работу. Однако в тот день мир шляп интересовал меня мало. Если быть честной, вообще не интересовал. Зато я вспомнила о намерении встретиться еще с одним человеком, занимавшем в жизни мамы большое место. Ее секретарем — Ольгой Николаевной. Странно, что четыре года мысль увидеться с ней ни разу не пришла в голову. Я даже не знала, работает она до сих пор в офисе отца или нет. Но номер ее мобильного все еще забит в моем телефоне.

Я схватила мобильный, нашла номер и поспешно нажала вызов. Восемь гудков, наконец я услышала голос:

— Алло.

— Ольга Николаевна? Это Анна Гришина. Простите за беспокойство... мы могли бы встретиться?

— Анна? — переспросила она с сомнением. — Дочка Татьяны Витальевны?

— Да, она самая.

— Но... я не очень понимаю... Хорошо, — вздохнула она, — давайте встретимся.

— Когда вам удобно?

— В любое время. Хоть сейчас.

«Значит, она, скорее всего, уже не работает», — подумала я.

Мы договорились встретиться в кафе «Леонора», находилось оно где-то в спальном районе, видимо, Ольга жила неподалеку.

Схватив ключи от машины, я отправилась туда.

Она нервничала. Это стало ясно, как только Ольга вошла в кафе. Я помнила ее строгой, деловитой, всегда в костюме, светлом или темном, в зависимости от сезона, белой блузке с брошкой на воротничке. Прямая спина, взгляд, полный достоинства.

А еще сигареты. Она много курила, и мама быстро смирилась с этим. Табачным запахом были пропитаны все костюмы Ольги. Пальцы левой руки неизменно сжимали мундштук. Этот самый мундштук делал ее похожей на героиню довоенных фильмов, которые я иногда смотрела вместе с мамой.

«Ольга — последний из могикан, — любила повторять она. — Таких больше не делают».

Она и раньше была худой, а сейчас точно усохла, уменьшилась в росте. А я удивилась, какой старой она выглядит. По моим представлениям, ей лет шестьдесят, но в настоящий момент передо мной женщина за семьдесят, а ведь прошло всего четыре года.

Я вскочила из-за стола, чтобы Ольга меня увидела, помахала рукой. Она приблизилась, молча кивнула, скупо улыбаясь, и села на стул, как-то нерешительно и даже робко, словно сомневаясь в разумности своего присутствия здесь.

— Здравствуйте, — сказала я. — Спасибо, что пришли.

— Не благодарите, — усмехнулась Ольга. — Я на пенсии. Занять себя не умею. А тут хоть какое-то развлечение.

Я предложила сделать заказ. Ольга очень внимательно изучала меню, точно это какой-то юридический документ, и вновь усмехнулась:

— Не уверена, что я хочу потратить такие деньги.

— Об этом не беспокойтесь, — поспешила заверить я.

Она пожала плечами и сделала заказ. Салат, горячее, кофе и пирожные.

Заказ принесли быстро. Ольга ела с удовольствием, смакуя каждый кусочек. Потом отодвинула
тарелку и сказала:

— Спасибо. Готова компенсировать ваши из-
держки. Что вы хотели?

— Поговорить о маме, — ответила я.

Она взглянула с сомнением.

— Четыре года вопросов у вас не было...

В ней чувствовалась обида, а фраза прозвучала
чересчур агрессивно. Я поспешно произнесла как
можно мягче:

— Лучше поздно, чем никогда.

— С народной мудростью спорить трудно. Но
чаще всего бывает поздно. Имейте это в виду.

— Вы сказали, что сейчас на пенсии, — решила
я начать издалека.

— После того как ваша мать исчезла, мне в фирме работы не нашлось.

«Так вот в чем дело», — подумала я, теперь причина ее обиды более-менее ясна.

— Отец вас уволил?

— Я сама написала заявление. Он, кажется, про
меня просто забыл. Два месяца я сидела в пустой
приемной, а потом подала заявление.

— Он не пытался вас отговорить?

— Нет. Я думаю, подобные мелочи его не интересовали.

— Папу можно понять. Учитывая его тогдашнее
состояние... — вступилась я за отца.

Ольга криво усмехнулась, не желая комментиро-
вать мое высказывание.

— У вас с ним были хорошие отношения? — спросила я.

— Скорее никаких. Я не хочу, чтобы это выглядело как сведение счетов, — нервно заговорила она. — Он подписал заявление, а я обиделась и теперь наговариваю на вашего отца. Но предупреждаю сразу: от меня обычных дифирамбов ему вы не услышите.

— Так я не за этим пришла.

— А зачем?

— За правдой, — пожала я плечами.

Ольга зло хмыкнула.

— Правда? Правда, деточка, понятие сугубо относительное.

— Поделитесь своей, — вновь пожала я плечами.

Она перегнулась ко мне и спросила, понижая голос:

— Вы ее видели, да?

— Кого? — растерялась я.

— Вашу мать.

С минуту мы таращились друг на друга.

— Не обращайте внимания, — вдруг пошла она на попятный и откинулась на спинку стула. Теперь она старательно отводила взгляд, голос звучал устало.

— Я дважды видела женщину, похожую на мою мать, — выделив слово «похожую», сказала я. — Судя по вашему вопросу, вы ее тоже видели.

Ольга кивнула.

— Неделю назад. Она сидела в машине возле моего дома. Я пошла в парк, ежедневная прогулка от безделья. На машину обратила внимание еще нака-

нуне. Но не разглядывала, кто за рулем сидит, а тут
посмотрела.

— Вы разговаривали?

— Нет. Я бросилась к ней, но она завела машину
и уехала.

— И что вы думаете по этому поводу?

— Ваша мать в беде и нуждается в помощи.

— Тогда почему уехала?

Ольга пожала плечами.

— Я не знаю ее обстоятельств. И вы, судя по всему, тоже. И вы, и я видели ее, но она не захотела
говорить. И причина должна быть очень серьезная.

— И связана она с моим отцом?

Ольга нахмурилась, но промолчала.

— Вы считаете его... плохим человеком? — продолжила я, тщательно подбирая слова. — У вас есть
для этого повод?

— Вы на мать похожи, — вдруг улыбнулась
она. — Стараетесь быть вежливой, но своего доби-
ваетесь. Что вы знаете обо мне?

Вопрос удивил.

— Вы долго работали с мамой. Пятнадцать лет,
кажется...

— Семнадцать, — поправила она. — Я сирота,
детдомовская. Ни кола ни двора. Замуж не вышла,
ребенка не родила. Сначала боялась: куда одной
с ребенком. Потом операция и приговор врачей.
Скверная штука. Всю жизнь одна. Я вашу мать
очень любила. Хотя мы никогда не были близки. Не
переходили грань. Но обе знали, что можем поло-
житься друг на друга. В общем, я всегда была на ее
стороне.

— Круто, — не удержалась я. — Отец, выходит, был по другую сторону?

Ольга пожала плечами.

— Поначалу он не особенно меня интересовал. Его чары просто не действовали. Но он был ее мужем, и я радовалась, что у них все хорошо.

— До определенного момента?

— Да. До тех пор, пока он не заставил ее страдать.

— Что она рассказывала об этом?

— Ничего. Я же сказала, мы не переходили грань. Я была ее секретарем, а она моим боссом, ничего личного. Но я видела... видела, как она переменилась. Тусклый взгляд, растерянность... Она избегала его. По крайней мере, на работе. Ей было тяжело его видеть.

— Когда все это началось?

— Задолго до ее исчезновения. Вы знаете о завещании?

— О завещании? — не поняла я.

— Ваша мать написала завещание. За два дня до того, как исчезла.

Ни о каком завещании я не слышала и теперь смотрела на нее с сомнением.

— Она попросила меня пригласить Льва Владиславовича. Вы ведь с ним знакомы?

— Нотариус?

— Да. Ваши родители постоянно к нему обращались. Он приехал к концу рабочего дня, со своим ноутбуком. Но... бумаги распечатывали на моем принтере. Он в приемной. Я была уверена: это бумаги по работе, их всегда довольно много. Только удивилась, почему Татьяна вызвала Гаусмана в офис, почему сама этим занимается. В фирме есть юристы, это их работа. А когда взгляд зацепился за слово «завещание»... я не могла не прочитать. Я даже сделала копию. Она, само собой, недействительна, не будучи заверена...

— Что было в завещании? — испуганно спросила я.

— Свою часть имущества и, разумеется, свою часть фирмы Татьяна завещала вам.

— И... почему вас это удивило?

— С какой стати молодой здоровой женщине писать завещание? Это первое, о чем я подумала. Фирма принадлежит вашим родителям. Они равноправные партнеры. В случае смерти одного из супругов наследство переходит к ближайшим родственникам: родителям, мужу, детям. Ваша мать — сирота. Значит, вы с вашим отцом разделили бы наследство между собой.

Я не очень понимала, куда она клонит, должно быть, Ольга это заметила.

— Вы имели право лишь на 1/4 часть фирмы. Гришин оставался хозяином и мог не особо считаться с вами.

— Наследство меня совсем не интересует. И отцу это хорошо известно, — резко сказала я.

Ольга усмехнулась.

— Это сейчас. А потом? В любом случае он ведь не сказал вам о завещании?

— Нет, — неохотно ответила я. — Мы вообще не говорили об этом. И папа, и я надеялись, что мама жива.

— Если и так, то она в большой беде, — вздохнула Ольга, — раз предпочла исчезнуть. И виноват в этом он.

— Я не люблю загадки. Выкладывайте все, что думаете по этому поводу.

— Не уверена, что вы...

— Именно за этим я и пришла.

— Она мне ничего не рассказывала. Это лишь мои догадки... Смотрите, что получается. Ваша мать решает позаботиться о вашем будущем и пишет завещание. Логично предположить: у нее есть основания для этого. Через два дня она бесследно исчезает. По крайней мере четыре года от нее нет никаких известий.

— Хорошо, — вздохнула я. — Допустим, отец решил избавиться от моей матери, а она, зная об этом, позаботилась обо мне. Она вовсе не исчезла, а убита коварным мужем, которому удалось замести следы и так спрятать тело, что его не нашли до сих пор. Но как быть с тем, что мы обе видели ее?

Ольга кивнула.

— Я была уверена, что ее нет в живых. И вдруг... Что, если это какой-то хитрый трюк?

— Моего отца? — помедлив, спросила я. — Какой в этом смысл? Мамы нет четыре года. Полицейские уже давно забросили это дело, так зачем вновь привлекать к нему внимание?

Она упрямо нахмурилась, но ответа у нее, похоже, не было.

— Я знаю одно: он заставил ее страдать. И если с ней что-то случилось... ее исчезновение выгодно только ему.

Я подумала о старике в квартире Аллы и согласиться не спешила.

— Незадолго до исчезновения мама взяла ключи у своей подруги. Сказала, что нужно поселить родственника знакомых...

При этих словах Ольга вдруг покраснела.

— Вам что-нибудь известно об этом? — спросила я.

— Никто не может упрекнуть вашу мать, — сбивчиво заговорила она. — Если она... это он во всем виноват.

— У нее был любовник, — сказала я. Это был не вопрос, а скорее утверждение.

— Я не могу говорить с вами об этом. — Ольга попыталась подняться из-за стола, но я схватила ее за руку.

— Я хочу найти свою мать. Или хотя бы понять, что произошло. И на вопросы морали мне в данный момент плевать.

— Я рассказала все, что мне известно.

Ольга все-таки встала и чуть ли не бегом направилась к выходу, а я выругалась сквозь зубы. Теперь я почти не сомневалась: у мамы был любовник, и Ольга об этом знала. Но чертова моралистка решила хранить светлую память о своей работодательнице. Старик не мог быть ее любовником. Соседи что-то напутали. Но зачем-то квартира маме понадобилась.

О завещании отец ничего не сказал. Просто забыл? Или не придал этому значения. Мне бы и в голову не пришло претендовать на бизнес. Во-первых, у меня другие интересы, во-вторых, это бизнес родителей, и я не имею к нему никакого отношения, и в-третьих, он — мой отец, я привыкла полагаться на его мнение и соглашусь с любым его решением, независимо от того, что написано в бумагах. Однако неприятный осадок остался. Ольга права: с какой стати маме писать завещание? Она чего-то боялась? Ей угрожали? Но не отец же, в самом деле.

В глубокой задумчивости я возвращалась к машине. И тут услышала лихой свист. Нет бы идти себе дальше, но я зачем-то повернулась.

Возле тротуара стояла роскошная тачка с открытым верхом, в ней сидел Лео Берзинь и, помахав ручкой, сладенько мне улыбнулся. Сразу захотелось сделать гадость или хотя бы гадость сказать. Я похлопала глазками, мол, простите, не узнала, и направилась к своей машине. Лео, не открывая дверцу, выпорхнул из своей и пошел ко мне.

— Какая встреча! Ну и повезло мне! — сказал весело.

— Я не знакомлюсь с мужчинами на улице.

— Поверить не могу, что ты успела меня забыть. Хватила лишнего в тот вечер?

— Отвали, — ласково попросила я.

— Грубость девушку не красит, но, несмотря на это, что-то во мне хочет пригласить тебя выпить. Кофе, разумеется. Как тебе идея?

— Дерьмовая.

— Да ладно. Кстати, твоя ершистость мне нравится. Возбуждает. Ну так что? Вполне приличная кафешка, — кивнул он на вывеску по соседству.

— Не боишься, что твою тачку угонят? — съязвила я.

— Не боюсь. Готов идти на жертвы, лишь бы ты сказала «да».

— Мне следует рухнуть в обморок от счастья?

— Неплохо бы.

— Ладно, пошли.

Пререкаться, стоя посреди тротуара, мне уже надоело, а он был из тех, кто не успокоится, пока своего не добьется.

Мы вошли в кафе и заняли свободный столик.

— Кофе? — деловито осведомился он. — А может, коньячку? Помогает расслабиться.

— Дружишь с бутылкой? — вновь съязвила я.

— Не-а, не дружу. Но связь поддерживаю.

— Кофе, — сказала я подошедшей официантке.

— Мне тоже, — вздохнул Берзинь.

Девушка отправилась выполнять заказ, а он сказал:

— Напомни, как тебя зовут.

Я закатила глаза и ответила:

— Жозефина.

— Вспомнил, — ткнул он в меня пальцем. — Анна. Чересчур серьезно, на мой взгляд. Меня можешь звать Лео.

— Лучше Леней. Лео звучит совсем уж по-дурацки.

— Заметано. Ты будешь звать меня Ленькой, а я тебя Нюськой. Уверен, мы подружимся.

— Это вряд ли.

— Можно небольшой комментарий?

— Валяй.

— Нюся, ты дура. Таким, как я, не отказывают.

— Взоры всего свободного мира обращены к тебе?

Он засмеялся и сказал:

— Кстати, мой отец не ладит с твоим отцом.

— И что в этом хорошего?

— Меня всегда тянуло к драматургии. Ромео и Джульетта...

— Теряюсь в догадках, почему я все это слушаю.

— Потому что я веселый и приятный парень? И мир со мной становится лучше?

— Давай пропустим эпизод, где ты покоряешь меня своей немыслимой харизмой. Может, наконец скажешь, чего ты ко мне прицепился?

Кофе к тому моменту нам уже принесли, и мы его успели выпить.

— Что за странный вопрос? Ты практически девушка моей мечты. Я собираюсь сделать тебя счастливой.

— Повезло мне.

— Еще бы.

— А как же твой папа, который не дружит с моим?

— Старикам придется это пережить. Кстати, что у тебя с Ильей? Надеюсь, ничего серьезного?

— А что у тебя с девицами, которые на тебе висли?

— О, о них можешь не беспокоиться. Имена, пароли, явки я уже забыл.

— Ну меня ты тоже не сразу вспомнил.

— Зато теперь точно не забуду.

— Пойду лить слезы радости в своей девичьей светелке, — сказала я, поднимаясь. — Спасибо за кофе. — И поспешила смыться.

Лео пришлось задержаться, чтобы расплатиться, этого времени мне хватило добраться до машины.

Когда он появился на улице, я уже отъезжала. Он отсалютовал мне, широко улыбаясь, а я показала ему язык. Сердце подозрительно трепыхалось, что слегка насторожило. Это ж какой дурой надо быть, чтобы влюбиться в подобного типа. К счастью, я далека от этого. Однако весь день я нет-нет да и возвращалась мыслями к недавней встрече. Берзинь сказал, что наши отцы не ладят. Надо бы узнать, в чем там дело...

Илья позвонил около семи.

— Ты на работе или дома? — спросил он.

— На работе, но собираюсь домой.

— Задание выполнил. Готов отчитаться. Говори, куда ехать.

К моему дому мы подъехали практически одновременно, пока я парковалась, появился Илья.

— Поднимешься? — сказала я, когда мы встретились возле подъезда.

— Времени нет. Надо успеть в одно место.

— Тогда не тяни.

— Девушка — Лопахина Анастасия Денисовна.

— Значит, кто она, установить все-таки удалось.

— Удалось, но далеко не сразу. Она приезжая, закончила наш университет и осталась здесь. Сама из Златоуста, точнее, из районного городка. Тут тетка жила, должно быть, к ней и приехала. Но тетка умерла, когда девушка еще на втором курсе училась. Лопахиной пришлось перебраться в общежитие, так как родственники теткину квартиру продали. После окончания университета жилье снимала. Именно поэтому ее и не хватились сразу.

— Как же так? — нахмурилась я.

— А вот так. С одной работы она уволилась, на другую еще не устроилась. Квартиру оплатила на полгода вперед. Хозяйка не беспокоилась и, только когда срок вышел, проявила интерес: а куда, собственно, делась квартирантка.

— А родственники? Ведь у нее есть родители... Хоть кто-нибудь?

— Похоже, с родней у нее не задалось. Какие-то взаимные обиды. Мать тяжело болела, и то, что Лопахина не выходит на связь, родня расценила как нежелание быть рядом в трудную минуту. Тот самый случай, когда все сошлось. Короче, документов не было, об исчезновении никто не заявлял, ее похоронили безымянной. Лицо было обезображено. Фотографию не публиковали, и бывшие сослуживцы узнать ее тоже не могли. Тревогу забили через пару месяцев. Сестра объявилась, мать к тому времени умерла, сестра сунулась по старому адресу, а когда выяснилось, что Лопахина там не живет и на звонки по-прежнему не отвечает, все-таки обратилась в полицию. Тут и хозяйка подтянулась. Обе опознали ее вещи, пальто, в котором она была.

— Мобильного при девушке не оказалось?

— Само собой. Все, что могло бы помочь установить ее личность, отсутствовало. А если личность человека не установлена, как прикажешь проводить расследование? Да и не особо старались...

— Но... об этом трупе писали в газете.

— Должно быть, не нашли, чем свободное место занять. А тут все-таки труп. О серийном убийце можно смело забыть. Ни до, ни после ничего похожего... Нюська, это не имеет никакого отношения к твоей матери, — хмуро глядя на меня, сказал Илья.

— Да, наверное.

— Твой отец... о любом неопознанном женском трупе ему сообщали сразу.

— И об этом тоже?

— Врядли, — пожал плечами Илья. — Ее ведь обнаружили раньше, чем исчезла твоя мать.

— Убийцу девушки не нашли?

— Нет, столько времени прошло, никто ничего толком припомнить не мог. Жила тихо, подруг не имела.

— Довольно странно.

— Почему? Есть люди общительные, а есть не очень. Единственное, что заинтересовало следователей: она снимала комнатенку вместе с приятельницей и вдруг перебралась в приличную квартиру.

— И что по этому поводу сказала приятельница?

— Ничего. Лопахина якобы собиралась домой возвращаться. Мать болеет, да и здесь дела не складываются. И с работы она уволилась, работа у нее была так себе, несмотря на высшее образование. Подай-принеси, и платили копейки.

— Возможно, она действительно собиралась уезжать.

— Тогда зачем снимать квартиру? Она куда дороже комнаты в складчину.

— Ей обещали место получше?

— Скорее всего. Я бы решил, что у нее кто-то появился. Мужик при бабках, которому надо было где-то встречаться с ней. В этом случае, он и оплачивал квартиру.

— Или они собирались жить вместе.

— Вряд ли. Хозяйка бы об этом знала. Мужик либо обещал ей работу получше, либо считал, что она ей вовсе ни к чему. Квартира самая обыкновенная, без евроремонта и излишеств, следовательно, первый вариант вероятней. К тому же на содержанку она не особо тянет, это занятие для ушлых девиц. В любом случае все это никакого отношения к твоей матери не имеет, — повторил Илья, а я подумала: «К ней, возможно, и не имеет».

Илья уехал, а я, поднявшись в квартиру, принялась бродить из угла в угол. С какой стати кому-то отправлять отцу заметку об убийстве четырехлетней давности? Что, если его шантажируют? Слова Ильи о возможном покровителе мгновенно сложились в неприглядную картинку: отец завел подружку, и мама об этом узнала. Не зря Ольга твердила: «Он заставил ее страдать». А дальше что? Отец вооружился кухонным ножом? Чушь. Тем более если мама о любовнице знала. Куда проще с девушкой расстаться. Или расстаться с мамой, если его любовь была так сильна. Тут мне вдруг стало не по себе. От мысли вполне логичной, но все равно абсурдной. Допустим, именно это он собирался сделать. А мама... «Стоп», — приказала я самой себе. Так черт-те до чего можно додуматься. Пока я знаю одно, да и то не достоверно: кто-то прислал отцу вырезку из газеты, и он сразу же отправился к Алле. Почему к ней? Просто искал поддержки? Мелькнувшая мысль, несмотря на всю абсурдность, теперь не давала покоя.

Неужто моя мама в самом деле имеет отношение к смерти Лопахиной? И сбежала, боясь, что ей придется отвечать перед законом? Если верить Илье, убийство девушки уже мало кого интересует. Но... вдруг мама считает иначе? Муж и близкая подруга, а по совместительству, возможно, и любовница мужа смогли убедить: исчезновение для нее — лучший выход. Но по прошествии четырех лет она заподозрила, что ей пудрят мозги, и решила объявиться? Ничего себе версия. Утешает одно: вся эта мыльная опера точно не про моих родителей. Либо они в одночасье стали другими людьми, либо я о них ничегошеньки не знала.

Ольга позвонила на следующий день, когда я была на работе. Голос ее звучал неуверенно, точно она сама толком не знала, зачем набрала мой номер.

— Вчера я долго думала, — после приветствия и вопроса, есть ли у меня пять минут, сказала она. — Наверное, я поступила неправильно. Было бы лучше все вам рассказать...

— Что «все»? — не поняла я, и тут до меня дошло: — Вы имеете в виду...

— Возможно, у нее кто-то был, — скороговоркой выпалила Ольга, словно испытывая физическую боль при мысли, что она порочит светлую память моей матери. — Если это поможет вам... я должна... Это только мои догадки. Скорее всего, я ошибаюсь и...

— Я вас слушаю, — поторопила я, покинув мастерскую. Мне не хотелось, чтобы наш разговор слышали посторонние.

— У нас работал юрист, Николаев Игорь Михайлович. Мне кажется... в последнее время он часто заходил к вашей матери.

— Но если он работал...

— Особого повода не было. То есть повод, конечно, всегда найдется. Но... он подолгу задерживался. И это при том, что ее день, как правило, был расписан по минутам. Я подумала: она могла найти утешение в нем. Когда предает близкий человек...

«Ты ищешь радости на стороне», — язвительно подумала я. Тетка наверняка фантазирует. Сама сказала, что не уверена. Заводить шашни на работе, да еще под носом мужа, довольно глупо. А если мама это делала нарочно, чтобы вызвать ревность отца?

И тут Ольга сказала:

— Однажды она попросила прислать машину. Водитель отправился за ней по указанному адресу и очень удивился. Это была середина дня, Татьяна вышла из подъезда обычной жилой девятиэтажки. Там не было ни одной конторы. Я велела ему помалкивать. Не наше дело, где бывают хозяева. Но...

— Позвонили в юротдел? — подсказала я.

— Да. Мне до сих пор неловко за это. Гадкое любопытство, в котором не так легко сознаться. Николаев был на больничном.

— И это его адрес?

— Да. Его. Она ведь просто могла навестить своего сотрудника.

— Конечно, все руководители именно так и делают. Странно, что они не поехали вместе с отцом, это ведь и его сотрудник тоже.

— Не смей плохо думать о своей матери! — закричала она мне в ухо. — Что ты знаешь о жизни, соплячка?

— Извините, — сказала я. — И спасибо вам! Спасибо за то, что вы так ей преданы!

Я отключилась, не дожидаясь ответа, зашла в свой кабинет и повалилась в кресло. Итак, любовник у мамы все-таки был. И отношения с отцом действительно разладились, но совсем по другой причине. Оттого подруги сочувствовали ему, а не ей? Но это вовсе не объясняет письма с газетной вырезкой и тот факт, что, получив его, отец поехал не к кому-нибудь, а к Алле. Может, Ольга права: юрист появился в жизни мамы в очень сложный для нее период. Узнала об измене отца и бросилась в объятия сотрудника? «Да, дорогие родители, — зло подумала я. — Насыщенная у вас жизнь».

Тут дверь в кабинет без стука распахнулась, и в комнату вплыла Нина Дмитриевна, «дыша духами и туманами», совсем как у классика. На голове у нее была шляпа, которую я собиралась презентовать через пару недель.

— Как я тебе? — жеманно поводив плечами, спросила она.

— Вам очень идет.

— Еще бы. Такая шляпа украсит любую женщину. Руки у тебя золотые, Нюська.

Она сняла шляпу, аккуратно положила ее на стол и меня поцеловала.

— Здравствуй, милая. Проезжала мимо, дай, думаю, загляну. И не зря. Имей в виду, я должна быть первой, — кивнув в сторону стола, с ухмылкой произнесла она. — Как мало радостей в жизни осталось. — Нина устроилась в кресле, закинув ногу на ногу.

— Кофе? — предложила я.

— Воды.

Я подала ей стакан с водой, она не спеша выпила, приглядываясь ко мне.

— Ты что, затеяла расследование?

Я мысленно выругалась. Илюха проболтался? Идиот. Но с ответом не спешила, решив немного повалять дурака.

— Какое расследование?

Нина поморщилась.

— Меня выспрашивала, к Алке поехала. С моим охламоном встречаешься. Связи его понадобились? А он, дурак, и рад стараться.

— Вообще-то, мы с ним друзья.

— А я и не спорю. Я тебе вопрос задала. Так уж будь любезна ответить.

— Я хочу знать, что происходило в жизни мамы.

— С чего вдруг, через четыре-то года? Давай начистоту: что тебе Алка наболтала?

«Неожиданно», — успела подумать я, прежде чем Нина перешла на грозный шепот:

— Мы с твоей матерью дружили по-настоящему. И с отцом тоже. Алка к твоему отцу всегда неровно дышала, впрочем, как и многие. Не удивлюсь, если она в конце концов уложит его в постель. Вполне в ее духе, кстати. Он нуждается в утешении, мужики по большей части слабаки в этом смысле. Пенелоп среди них не водится. — Тут Нина зло фыркнула и головой покачала. — Представляю, какое мнение о нас могло у тебя сложиться. Запомни, детка, друзья твой матери — а мы ее друзья, даже стерва Алка — не имеем отношения к ее исчезновению.

— Вы меня убедили, — кивнула я. — Раз уж речь зашла о маме... вы знаете, кто был ее любовником?

— О господи! — Нина досадливо закатила глаза. — Дурацкая история с Алкиной квартирой? Она и это разболтала?

— Так вы знали? Но не сообщили об этом следователю?

— Я узнала об этом недавно и, если честно, очень сомневаюсь, что речь идет о любовнике. Послушай... Твоя мать любила твоего отца, а он любил ее. И ни о каких любовниках я ничего знать не хочу.

— О любовницах, видимо, тоже? — не удержалась я.

Нина на мгновение замерла с открытым ртом, выглядело это довольно комично.

— Это ты сейчас о чем? У твоего отца была любовница? До исчезновения Татьяны? Кто?

Похоже, ее это очень заинтересовало, а еще разозлило, что наводило на размышления. Возможно, любовь к моему отцу вовсе не была платонической, и то, что на горизонте маячит еще одна кандидатка, Нину здорово задело.

— Кое-кто в этом убежден.

— Кое-кто, — передразнила она. — Не стыдно тебе? Это твой отец, а ты собираешь грязные сплетни.

— Я только хочу разобраться.

— А он об этом знает? Наверняка придет в восторг, когда ему донесут. Я-то буду помалкивать. Не хватает ему лишней головной боли... хотя тебя и следовало бы проучить. Но Алка точно донесет. Угораздило же тебя влезть во все это, — сказала она с досадой и направилась к двери. Уже распахнув ее, повернулась и добавила совсем другим тоном: — Про шляпу не забудь.

А я призадумалась. В одном Нина права: в отношениях старых друзей не все так просто... Скорее всего, папа действительно нашел опору в Алле (какое политкорректное выражение!) уже после исчезновения мамы. И, получив письмо, бросился к ней за советом. Вот только что за совет был ему нужен? Да и с любовницей не ясно. Вряд ли это была Алла, но, вполне вероятно, был кто-то другой, в смысле, другая. Девушка, обнаруженная под мостом... Газетная вырезка не дает покоя? Что-то мне подсказывает: именно с этого происшествия все и началось.

Я пробовала вернуться к работе, но быстро поняла, насколько это бесперспективно, и решила наведаться в офис отца, чтобы взглянуть на предполагаемого любовника мамы. Если он все еще работает, разумеется.

Офис располагался в здании из стекла и бетона на проспекте Гагарина. Подходя к центральному входу, я обратила внимание на видеокамеру. В день исчезновения мама попала в ее объектив. Оказавшись на парковке, несколько секунд сидела в машине, а потом вдруг уехала. В никуда. Ее машину до сих пор не нашли.

Чтобы войти, требовалось предъявить пропуск на входе, временный или постоянный, но охранник, поздоровавшись, меня пропустил, воспользовавшись своим пропуском. Фирма родителей занимала два этажа, на лифте я поднялась на третий этаж, юротдел, насколько я помню, находился там.

Покинув лифт, я прошла по коридору к двойным застекленным дверям и оказалась в просторной комнате, где за столом сидели четверо: женщина и трое мужчин. Рядом дверь в кабинет начальника юротдела. С женщиной мы были знакомы, подняв голову от бумаг, она равнодушно мазнула взглядом и тут же широко улыбнулась, как видно, узнав меня.

— Аня? Вы к нам?

— У меня вопросик. Точнее, просьба. Не посмотрите договор? На всякий случай.

Договор типовой и ни в какой проверке не нуждался, но предлог, чтобы заглянуть сюда, вполне подходящий.

— Ты торопишься? — Она окинула взглядом бумаги на своем столе. — Мне тут надо кое-что доделать. Алексей Егорович ждет документы через полчаса.

— Я могу попозже зайти...

— Сейчас что-нибудь придумаем.

Заставлять ждать хозяина, само собой, никуда не годится, но и дочку его обделять вниманием тоже не стоило.

— Игорь, — обратилась она к молодому мужчине, — ты не мог бы проверить бумаги... Кстати, познакомьтесь, это дочка Алексея Егоровича, Анна. Это Игорь. Во всем, что касается договоров, он большой специалист.

Игорь поднялся из-за стола и протянул мне руку. Смотрел куда-то вбок, точно видеть меня ему было не по силам. Должно быть, я сияла, как солнце на небосводе, и слепила глаза. Табличка на его столе сообщала, что передо мной Николаев Игорь Михайлович. Что ж, на ловца и зверь бежит. Не могу сказать, что мне очень приятно, но, безусловно, любопытно.

Без предисловий всучив ему договор, я принялась разглядывать Николаева. На вид меньше тридцати, но он уже сутулился, словно придавленный своим дешевым костюмом. Игорь производил впечатление человека, который не ждет от жизни ничего хорошего, эдакий затюканный ботаник. Тусклый взгляд, прыщи на подбородке... Выглядело это крайне несимпатично. Ольга все попросту выдумала, что нашла в нем моя мать? Я невольно сравнивала этого типа с отцом и, конечно, ревновала. Обида за отца вызвала отвращение, которое все росло вместе с желанием сказать человеку гадость. Мысленно иначе, чем «прыщавый», я его уже не именовала.

— Что вас смущает? — не поднимая глаз от договора, который он успел прочитать до конца, спросил Николаев.

— Ничего. Просто хотела убедиться, что все в порядке.

— Все в порядке, — сказал он, возвращая бумаги.

— Спасибо.

Он кивнул и, открыв ящик стола, принялся что-то там искать, вроде бы забыв обо мне.

Я направилась к двери, помахав на прощание бумагами и громко сказав:

— Спасибо.

Все машинально ответили, кроме «прыщавого»: странное безразличие к дочери работодателя. Он всегда так немногословен или это касается только меня?

Поразмышлять на эту тему времени не оказалось, в коридоре я едва не столкнулась с папой.

— Вот так встреча, — удивился он, целуя меня. — Какими судьбами?

— Заскочила к твоим юристам договор проверить. — Я потрясла бумагами в качестве доказательства.

— Я бы и сам мог посмотреть...

— Папа, не хватает только загружать тебя всякой ерундой.

— Все, что касается тебя, вовсе не ерунда, а дела первостепенной важности. Запомнила?

— Еще бы.

— Зайдем ко мне, — помедлив, предложил он. — Надо поговорить.

Сердце екнуло, и под ложечкой засосало. Предположить, о чем хочет поговорить отец, учитывая недавний визит Нины, совсем не трудно. Я к подобному разговору была не готова. Но и отказаться не могла. Оттого и побрела за ним, точно овца на заклание.

Мы вошли в кабинет, отец плотно закрыл дверь, потом спросил, словно опомнившись:

— С договором ты все решила?

— Да, спасибо. Ужасное свинство использовать твоих сотрудников...

— Они и твои тоже, — сказал отец, устраиваясь в кресле. Я решила не обращать внимания на эту реплику, а папа продолжил: — Я откладывал этот разговор, но... думаю, тянуть и дальше уже нет смысла. Мамы нет с нами уже четыре года... — Он замолчал, а я осторожно спросила:

— Ты хочешь, чтобы ее признали мертвой?

Он нахмурился и принялся вертеть в руках карандаш.

— Через год это сделать придется. — Он вздохнул, а потом заговорил совсем другим тоном: — Мама оставила завещание. Свою часть имущества и нашего бизнеса она завещала тебе.

— Мне ничего не надо, — торопливо произнесла я, вышло испуганно.

— Нюся... я в курсе, что тебя куда больше интересуют твои шляпы... Ты творческий человек, я всегда это знал. И все же... Мы с мамой начинали с нуля, многого добились, и мне бы не хотелось, чтобы... в общем, я бы предпочел оставить все это в твоих руках. Пока я рядом, у тебя будет время вникнуть во все тонкости. Бизнес в каком-то смысле тоже искусство.

Сейчас мне меньше всего хотелось обсуждать все это.

— Тебя не удивило, что она оставила завещание?

Он развел руками.

— По-моему, это разумно.

— А по-моему, странно.

Теперь он пожал плечами.

— Я тоже написал завещание. Ты — моя единственная наследница. Вроде бы тоже все очевидно, но мне как-то спокойнее.

— Я бы предпочла, чтобы ты не думал о таких вещах.

Он вдруг засмеялся.

— Для молодых смерть — это несчастный случай, а для таких, как я, — уже неприятная неизбежность. Оттого и к завещаниям отношение разное.

— Можно подумать, ты древний старик. И все же странно, что мама... в конце концов, она здоровая молодая женщина. С чего ей вдруг думать о смерти?

— Нюся, уверяю тебя, мысли о смерти ее посещали не чаще, чем любого другого. Ни к чему она не готовилась, можешь мне поверить. Я бы знал. Давай так: в ближайшие месяцы ничего не меняем. Свыкнись с мыслью, настройся... А после Нового года начнешь потихоньку входить в курс дела. Договорились? Мне очень тяжело без нее, дочка, — вздохнул он. — И я очень надеюсь на твою помощь.

После этих слов возражать я уже не могла и молча кивнула, решив обойтись вообще без слов.

Мы отправились с отцом обедать, на четвертом этаже была столовая для сотрудников. Vip-зал отделен от основного стеклянной перегородкой. Николаева я увидела сразу. Он сидел в одиночестве за угловым столиком, причем предпочитал пялиться в стену, а не на лица коллег. Занятный парень. Обратил на него папа внимание или нет, сказать трудно, в любом случае никак не отреагировал. То, что Николаев до сих пор работает в фирме, свидетельствует: отец, скорее всего, об их отношениях с мамой не догадывался. Или предпочел их не замечать? Честно говоря, эти самые отношения вызывали сомнения. Мало ли что там Ольге привиделось. Невозможно представить маму рядом с Николаевым. Сумрачный тихоня. Да еще эти прыщи. Хотя, возможно, именно это и привлекло мою мать. Не прыщи, само собой, а полная противоположность отцу. Если верить циникам, принцессы быстро приедаются, в данном случае — принцы.

Николаев несколько раз взглянул на часы, что не укрылось от моего внимания. Возможно, у него встреча. В офисе или в другом месте.

Простившись с папой, я заглянула в юротдел для того, чтобы еще раз поблагодарить за помощь, а на самом деле проверить: там ли Николаев. Он сидел за своим столом и складывал в портфель какие-то бумаги. На мое появление никак не отреагировал, даже головы не поднял.

Покинув здание и выехав с парковки, я стала наблюдать за входной дверью. Вскоре появился «прыщавый». Как выяснилось, машины у него не было, по крайней мере, в тот день парковку он игнорировал и направился к трамвайной остановке. Малой скоростью я последовала за ним. Это оказалось крайне неудобно, я создавала проблемы себе и прочим водителям, но выхода не было. Остановку Николаев благополучно миновал, и это при том, что вроде бы торопился на встречу. Потом все-таки сел в троллейбус. Жизнь мне это облегчило, но ненадолго. Он вышел на следующей остановке, вновь отправился пешком, потом вдруг замер, постоял, с минуту глядя в мою сторону, пересек газон и, оказавшись на проезжей части, махнул рукой. Обращался, вне всякого сомнения, ко мне. Парень меня засек и теперь хотел выяснить, в чем дело. Это было хорошо. Вдруг его одолевают желания раскрыть мне душу, хотя, судя по его мрачной физиономии, к общению он не особо стремился.

Я остановилась, он распахнул дверь, но садиться не торопился.

— Что вам надо? — спросил сердито.

— Поговорить.

— О чем?

— Может, вы, наконец, сядете?

— Не вижу необходимости.

— Мы мешаем движению, — напомнила я.

Он вроде бы засомневался, но все-таки сел. И я влилась в поток машин.

— Куда вам? — спросила я.

— Вы хотели поговорить. Говорите, — заявил он.

Я припарковалась возле магазина и повернулась к нему.

— Мне показалось, вы торопитесь.

— Ну так и вы поторопитесь.

— Тогда вопрос: какого хрена ты на меня злишься?

Вопрос его смутил, по крайней мере, на физиономии появилось выражение неуверенности.

— С чего вы взяли? — пробормотал он наконец и добавил сердито: — Вы являетесь в офис, потом следите за мной... С какой стати?

— Хочу поговорить о своей матери.

Он криво усмехнулся.

— Почему со мной?

— Потому что она выделяла вас среди сотрудников, — нашла я политкорректный ответ.

Он вновь усмехнулся.

— Я хороший юрист. Она это понимала.

— В отличие от моего отца?

— У меня нет претензий к моему работодателю.

— Само собой. Расскажите мне о своих отношениях с мамой, — попросила я.

— Отношениях? — нахмурился он.

— Ну да. Когда и при каких обстоятельствах она поняла, что вы хороший юрист. С чего-то ведь все началось?

Николаев пожал плечами.

— Не припомню особых событий. Мы общались исключительно по работе...

— Но по крайней мере однажды водитель забирал ее от вашего дома.

Он вдруг густо покраснел, вызвав у меня, скорее, удивление, а у себя досаду.

— Кто вам сказал эту чушь? Она никогда не была в моей квартире. Ваша мать не из тех женщин...

— Кончай, а? — перебила я.

— То, что вы дочь хозяина, не дает вам права вести себя со мной по-хамски...

— Я просто хочу понять, что случилось четыре года назад.

— Тогда вам лучше обратиться к вашему отцу.

Николаев распахнул дверь и поспешно вышел. Я хотела окликнуть его, но лишь чертыхнулась сквозь зубы. Если честно, теперь я была уверена: с матерью их связывала не только работа. То, как он говорил о ней, наводило на размышления. Прошло четыре года, а тема для него до сих пор болезненная. Он любил маму и не смирился с ее исчезновением? Или считал себя в чем-то виноватым? В чем? Отличный вопрос, который следовало задать ему, но за неимением такой возможности я сама над ответом голову ломаю.

Николаев стремительно удалялся в сторону сквера, наверное, с тем расчетом, чтобы я не могла за ним последовать на машине. Внутренний голос вещал: вторая попытка поговорить с ним закончится так же, парень явно не расположен раскрывать мне душу, но я здорово злилась, в основном на себя, и решила все же попробовать.

Николаев уже скрылся за деревьями парка, когда я вышла из машины и почти сразу услышала:

— Эй, красотка!

В досягаемой близости от меня радостно скалил зубы Берзинь. На сей раз он предпочел своей спортивной тачке «Рендж Ровер». В тот момент мне было не до него, и я предпочла сделать вид, что оглохла. Ну и со зрением у меня, само собой, проблемы.

— Не убегай, милая, — голосил он мне вдогонку. — Ты рвешь мое сердце на части.

— Чтоб тебя, — бормотала я сквозь зубы, торопясь ко входу в сквер и высматривая Николаева.

И тут увидела ее. Женщина в белом плаще переходила дорогу. Большие солнцезащитные очки при пасмурной погоде выглядели странно. Одну руку она держала в кармане плаща, другой придерживала ворот, пряча в нем нижнюю часть лица. Как в шпионском фильме. Мы должны были пересечься на тротуаре, когда она перейдет дорогу, но тут она увидела меня, замерла на мгновение, а потом, развернувшись, бросилась бежать.

— Стой! — заорала я и кинулась за ней.

Она бежала, не оглядываясь, и я тоже, наплевав на светофор, который вспыхнул красным, сигналы водителей и вполне вероятную возможность оказаться под колесами. И тут выяснилось: бегунов трое. Неизвестная в плаще, подозрительно похожая на мою мать, я и Берзинь, который тоже участвовал в забеге с неясной целью. На середине дороги пронесся мимо, успев крикнуть:

— Я ее догоню!

К тому моменту женщина успела юркнуть в подворотню напротив, Берзинь за ней, а мне пришлось притормозить, чтобы пропустить нахала-мотоциклиста, который в противном случае наехал бы мне на ноги.

Когда я оказалась в подворотне, там уже никого не было. Подворотня вывела в проходной двор, где я и обнаружила Берзиня. Он стоял, довольно громко чертыхаясь, держа в руках белый плащ. Заметив меня, нахмурился и заявил с обидой:

— Она буквально выскользнула из рук. Только плащ остался.

— Идиот, — сказала я.

— Это что, благодарность?

— Нет, диагноз.

— Она у тебя что-то украла?

— Кто?

— Эта баба.

— Каким образом? А вот ты отобрал у нее плащ. По-моему, это называется ограблением.

— Какого черта ты за ней побежала? — разозлился он, должно быть, мысль о возможных неприятностях впечатление произвела.

— А ты? — невинно поинтересовалась я.

— Инстинкт сработал. Один бежит, другой догоняет.

— Как бы тебе с твоими инстинктами не оказаться в местах лишения свободы.

— Черт, — пробормотал он и начал оглядываться, выискивая место, куда выбросить плащ.

— Дай сюда, — сказала я.

— Может, все-таки объяснишь, в чем дело? — спросил он.

— У меня тоже инстинкты.

Я пошла со двора, держа плащ в руке.

— Может, кофейку вмажем? — спросил Берзинь, выразительно хлопнув себя по шее ладонью.

— Извини, не пью.

— Бедняжка. С такими привычками в этом мире долго не протянешь. Мороженое? Луну с неба? Ну хоть что-нибудь?

— Сделай одолжение, отвали, — попросила я.

— Ты — чокнутая, — заявил он с обидой. — Только чокнутая откажет такому красавцу.

Красавцем он, с моей точки зрения, не был. Черты лица жестковаты, и эта насмешка в глазах... Но именно такие типы обычно нравятся женщинам. О чем он прекрасно знал, вот и продолжал веселиться, уверенный, что все будет так, как он захочет.

— Куда она сбежала? — спросила я, когда мы оказались возле моей машины.

— Понятия не имею. По мне, так просто растворилась. Если честно, я не ожидал, что она так ловко выскользнет из плаща. Не удержался на ногах. А когда поднялся, ее и след простыл. Тебе так понравился этот плащ или была еще причина бежать за ней?

— Конечно, плащ. Я видела его во сне...

— Ничего, что он на два размера больше? Может, все-таки расскажешь, с какой стати я рисковал свободой и честным именем?

— Тебе лучше знать.

— Ну не хочешь говорить, давай тогда помолчим вместе.

— Помолчим. Но только по отдельности.

Улыбка все еще держалась на его физиономии, но уже кривовато.

— Слушай, а ты, часом, не лесбиянка? Может, я зря трачу на тебя время?

— Может, — кивнула я, садясь в машину.

— Ты о времени или своих сексуальных пристрастиях? — наклоняясь к окну, спросил он.

— В комплексе. Если тебя заметут, не упоминай моего имени, я все равно уйду в глухую отказку.

— Сучка, — сказал он на прощание.

— А ты и вправду красавчик, — подмигнув, ответила я.

И наконец-то тронулась с места, торопясь оказаться как можно дальше. Требовалось подумать и оценить ситуацию. Поэтому, убедившись, что Берзинь не следует за мной, я припарковалась при первой возможности, взяла плащ и стала его разглядывать. В карманах пусто. Но кое-что интересовало меня куда больше карманов. Точно такой же тренч известной фирмы был у мамы. И сейчас я смотрела на едва заметное пятно на подкладке, можно сказать, историческое пятно.

Появилось оно в тот день, когда я узнала, что поступила в университет. Мы гуляли по Москве, папа с мамой держались за руки и были такими молодыми, такими счастливыми... словно это им предстояло учиться в вузе своей мечты, словно это у них вся жизнь впереди.

Лето было прохладным, с утра шел дождь, но к вечеру распогодилось. Мы устроились в уличном кафе, мама сняла плащ и бросила его на спинку стула. Весь день я пребывала в возбужденном состоянии, вертелась, точно меня дергали за веревочки. И в конце концов выплеснула немного вина на подкладку маминого плаща.

— Ой, мамочка, прости! — заголосила я, а она засмеялась.

— Я сохраню этот плащ. И даже в чистку не отдам. Буду в старости смотреть на него и вспоминать, как мы были счастливы.

Теперь, глядя на это пятно, я едва не заревела, так стало тошно. Вне всякого сомнения, на коленях у меня лежал мамин плащ. Выходит, там, на переходе, я видела свою мать? Я не была в этом уверена. Очень похожа — да. Главный аргумент против, «с чего это маме вести себя так по-дурацки?», звучал, само собой, не очень убедительно. Мама исчезла в начале апреля, весна в тот год пришла поздно, в общем, в плаще мама быть не могла. Я не помнила, видела ли его в гардеробной уже после ее исчезновения... Если честно, в гардеробную я ни разу не заглядывала...

Я завела машину и помчалась в родительский дом, радуясь, что отец на работе и ничего объяснять не придется.

В холле едва не столкнулась с домработницей, Светланой Петровной.

— Добрый день, Анечка, — начала она, выключив пылесос. И замерла нерешительно. Должно быть, выглядела я странно.

— Здравствуйте, — пробормотала я, пролетая мимо.

Плащ я оставила в машине, бегом поднялась на второй этаж, где была гардеробная мамы. Светлана стояла возле лестницы и, задрав голову, испуганно смотрела на меня. Раньше плащ висел в чехле чуть в сторонке, ближе к двери, рядом с маминым свадебным платьем. Чехол был на месте, но оказался пуст. Ноги у меня подкосились, и я приземлилась на пол.

Итак, сомнений нет: плащ тот самый. Мамин. И что это значит? Мама планировала исчезнуть и кое-какие вещи прихватила с собой?

«Тогда почему не свадебное платье?» — зло подумала я. Впрочем, следуя логике, оно вряд ли могло навеять приятные воспоминания. «Все это чушь», — билось в мозгу. А если мама была здесь недавно? И взяла плащ? Или это сделал кто-то другой? Зачем? Чтобы мне голову морочить? Очень захотелось немедленно позвонить отцу и обо всем рассказать.

Но кое-что останавливало. Николаев отправился в сквер. До этого поглядывал на часы, похоже, у него была назначена встреча. И через несколько минут там появляется женщина, похожая на мою мать. Видит меня и убегает. Почти уверена: Николаев должен был встретиться с ней. А я этому помешала. Была ли женщина моей матерью или только похожа на нее, но предполагаемому любовнику, безусловно, что-то известно.

— И он мне все выложит, — гневно решила я, поднимаясь с пола, и только тогда обратила внимание на Светлану Петровну. Она стояла в дверном проеме и таращилась на меня в немом ужасе, точно я не на полу сидела, а живьем младенцев заглатывала.

— Аня, — позвала она, — что случилось?

— Все нормально, — ответила я, вешая чехол на место.

И поспешила покинуть дом. Отвечать на вопросы Светланы Петровны не было ни малейшего желания, а вот задать свои вопросы Николаеву очень хотелось. Оттого я и помчалась в офис, пылая праведным негодованием. Если откажется отвечать, я закачу такой скандал... пусть потом с отцом разбирается, а заодно и с полицией.

Однако в офис я входила более-менее успокоенной. Со скандалами лучше не спешить, для начала не худо бы выяснить, кто эта женщина в мамином плаще. По дороге я почти убедила себя: дело может обернуться затейливой любовной историей. Папа любил маму, а мама любила «прыщавого». Нормальным способом уйти от папы не смогла и выбрала ненормальный, инсценировав свое исчезновение. А теперь бродит по улицам, иногда попадаясь мне на глаза, а когда попадается, стремится побыстрее сбежать. Николаев же остался присматривать за бизнесом. Счастливым он, кстати, тоже не выглядит. Роман «Анна Каренина», да и только. Правда, очень бы хотелось обойтись без паровоза.

Я решительно вошла в юротдел. Стол, за которым сидел Николаев, оказался пуст.

— Анечка?

Александра Павловна выглядела удивленной, и в самом деле, что-то я сюда зачастила.

— У меня еще вопрос к Игорю Михайловичу, — выдавила я из себя подобие улыбки. — Он здесь?

— Его в ближайшие дни не будет, — ответила Александра. — Отправился по делам и, представляете, подвернул ногу. Да так неудачно. Звонил недавно. Пришлось ехать в травмпункт. Сначала вообще думали — перелом.

«Как по заказу», — подумала я и сказала:

— Мне нужен его адрес.

— Электронный? Давай отсканируем твои бумаги, и я перешлю... Могу сама посмотреть, время есть.

— Мне нужен его домашний адрес, — как можно спокойнее произнесла я. Александра вроде бы растерялась.

— Домашний? Это надо в отдел кадров. Кто-нибудь знает, где Игорь живет? — обратилась она к мужчинам, с которыми делила комнату. Те, оторвавшись от компьютеров, равнодушно покачали головами.

Это не удивило. Николаев явно не из тех, кто приглашает коллег к себе домой.

— Сейчас, — немного подумав, сказала Александра и стала звонить по телефону. — Леночка, — заговорила она, — Александра Павловна, юротдел. Мне нужен адрес Николаева, он у нас ногу подвернул. Пару дней его не будет...

Она взяла ручку, ожидая, когда ей ответят, а потом принялась быстро записывать. Положила трубку и протянула листок мне:

— Вот.

— Спасибо, — поблагодарила я, а она неуверенно спросила:

— Все в порядке?

— Да, все отлично... — И поспешила к выходу.

Итак, Николаев подвернул ногу. Думаю, это напрямую связано с недавними событиями. Возвращаться на работу он не хотел. Боялся со мной встретиться? Или их планы изменились, и парочка решила смыться из города? На несколько дней или надолго? Учитывая, что об их прежних планах мне ничегошеньки не известно, изменения в них моему уму и сердцу ни о чем не говорят.

Я была почти уверена, что Николаева дома не застану, и все-таки поехала к нему. Он жил в панельном доме на окраине. Квартира, судя по всему, куплена по ипотеке, и платить за нее еще полжизни. Почему парня тянуло к маме, вполне понятно, а вот что она нашла в нем? Утешение? Все мы ищем любви и утешения.

Тут я неожиданно подумала о Берзине. Ну уж это пальцем в небо. Любви там кот наплакал, если только к себе, единственному и неповторимому. Я девушка эгоистичная, не особо восторженная и на роль обожательницы точно не гожусь. Занятно, что судьба нас последние дни сводит весьма настойчиво. Или Берзинь сам судьбе помогает? Зачем это ему? Инстинкт охотника? Я — бегу, он — догоняет. Стоит мне притормозить, и я пополню ряды несчастных дурочек. Нет уж, я лучше за Илюху замуж пойду. Не так феерично, зато спокойнее.

«На свете счастья нет, но есть покой и воля». Блин, что за мысли дурацкие. Кто ж в моем возрасте покоя ищет? Нам, красивым, страсти подавай. Любовь... Обязательно с большой буквы. При чем здесь Берзинь? Любить — это точно не про него. Расчетливый, к тому же бабник... Женится на деньгах и будет шляться до глубокой старости. Спасибо за такое счастье. До недавнего времени эталоном семейной жизни для меня были мои родители. Парни мне нравились лишь те, кто был хоть чем-то похож на моего отца. Но с эталоном теперь худо, и мысли о замужестве никакого энтузиазма не вызывают. Может, следуя европейским тенденциям, в лесбиянки податься?

Я скривилась и даже пробормотала «чур меня», ценности свободного мира вызывали тошноту и ярко выраженное желание отправить пропагандистов в сумасшедший дом. Все лучше, чем держать их на воле. Бог знает, до чего они еще додумаются.

Я подошла к подъезду и набрала номер квартиры на домофоне. Один раз, потом другой... После пятого продолжать смысла уже не было. Отсутствие Николаева ничуть не удивило. Не на диване же ему с больной-то ногой лежать. Но задать ему вопросы захотелось еще сильнее.

— Что ж ты, гад, затеял? — бормотала я, возвращаясь к машине.

Завела мотор и выругалась. Еще пять минут назад мамин плащ лежал на заднем сиденье, аккуратно свернутый. Но сейчас там ничего не было. На всякий случай я обыскала машину, хоть и знала: это глупо. Альцгеймер мне пока не грозит: плащ все это время был под рукой. А теперь его нет. Как нет доказательства, что это именно мамин плащ. Реши я сейчас все рассказать отцу, сомнения непременно возникнут. Несчастная девочка что угодно могла вообразить. Про полицию и говорить нечего. Это что ж, Николаев постарался? Пока я торчала у двери подъезда, он вскрыл мою машину? Лихой ботаник... Как-то не похоже это на него. Тогда кто? Случайный воришка? Шел мимо, увидел плащ, дай, думает, возьму. Или в деле есть еще люди? Помимо Николаева? Он-то как раз мог предположить, что я появлюсь здесь. И заранее подготовился. То есть у него имеются в друзьях решительные ребята, которым вскрыть чужую машину не составляет труда?

«Что же, черт возьми, происходит?» — в досаде думала я. Четыре года все было тихо, и вдруг события начали развиваться. Посыпались, точно из рога изобилия. Без вести пропавшего человека, кажется, признают умершим через пять лет. До этого момента осталось меньше года. В этом причина? Предположим, мама сбежала с любовником, не желая объяснений, и предпочла, чтобы о ее местонахождении никто не знал. Однако сейчас вдруг забеспокоилась. Если ее признают мертвой, отыграть ситуацию назад будет проблематично. Фирма перейдет отцу и... Если верить детективам, все преступления совершаются из-за денег. Но в нашем случае мало что изменится, раз уж все четыре года он распоряжался фирмой единолично. К тому же Николаев, если любовник именно он, никуда не исчезал. Сидит в юротделе за тем же столом. Какой тогда смысл маме прятаться? И я не могу поверить, что женщина, сбежавшая от меня сегодня, в самом деле моя мать. Да, похожа. И плащ, безусловно, ее. Но сомнений не стало меньше, и это факт.

Я набрала номер Ильи, он ответил сразу, но заговорил шепотом.

— Перезвоню.

И отключился. А я вновь чертыхнулась. У человека дела. Это я ношусь по городу вместо того, чтобы работать. Подумала вернуться в мастерскую, но тут же стало ясно: работник я сегодня никудышный.

Кончилось тем, что, бросив машину на парковке, я больше часа бродила в парке, изводя себя все теми же мыслями. Наконец позвонил Илья.

— Извини. Был в суде. Как дела?

— Хреново.

— В смысле? — растерялся он.

— В смысле, хуже не бывает.

— Эко ты загнула, — хмыкнул он. — Бывает, да еще как. Хочешь, расскажу?

— Не хочу, — отмахнулась я. — Чужие истории меня не занимают. У меня тут свой масонский заговор.

— Сможешь до областного суда по-быстрому добраться? Сорок минут у нас есть, расскажешь про масонов, они мне всегда нравились.

— А мне теперь не очень.

Я уже бежала к машине, радуясь возможности обсудить происходящее с Ильей.

Парковка была забита машинами. Пришлось притулиться в переулке. Еще подъезжая, я позвонила Илье, и он вскоре появился. Сел на пассажирское сиденье рядом со мной и сказал:

— С парковкой тут беда. Времени в обрез, так что излагай.

Пока я излагала, он сидел, развернувшись ко мне, и по лицу было видно, что его одолевают сомнения. В основном, надо полагать, в моем душевном здоровье.

— Вот так, значит, — кивнул он, когда я закончила. — Занятно.

А я напомнила себе, что Илюха адвокат и профессия успела наложить свой отпечаток. Можешь сколько угодно сомневаться, но исходи из того, что клиент прав. Вот и сейчас он не стал задаваться вопросом, а не привиделось ли мне все это, а спокойно поинтересовался:

— И что ты об этом думаешь?

— Комплекс мероприятий.

— Не понял.

— Известное выражение: «жопа» в русском языке означает событие, а «полная жопа» — это вообще комплекс мероприятий.

— Ну до полной-то жопы нам еще далеко.

— Это ты в буквальном смысле? — уточнила я, а он засмеялся:

— Оглянуться не успеем, как станем точной копией дражайших родителей. А теперь совет адвоката: никуда не лезь. От тебя чего-то хотят. Каких-то действий. Спутай им карты, не реагируй. Пусть перестраивают стратегию. А мы посмотрим. Ко всему прочему, это может быть опасно. Твое вмешательство, я имею в виду. Ты наследница матери, и если у кого-то был повод избавиться от нее... в общем, несчастный случай с наследницей был бы кстати. Я говорю серьезно. Сейчас у меня дел невпроворот и времени совсем нет. Но через месяц-полтора я займусь твоими делами. И мы всех непременно выведем на чистую воду. А сейчас я бы советовал тебе отправиться на Карибы. Впрочем, там уже жарко. Тогда Мальдивы. Ты расслабляешься, я спокойно занимаюсь делами... Плащ действительно материн? — закончил он несколько неожиданно.

— Пятно на месте. Историю его возникновения я тебе поведала.

— Интересно.

— Еще бы.

— Много людей ее знает? Я имею в виду, историю?

Вопрос насторожил.

— Папа, мама и я.

— Ты ее кому-то рассказывала?

— Тебе.

— А еще?

— Не помню. Возможно. Но не уверена... — Тут до меня дошло, куда он клонит. — Ее мог рассказать кто-то из нас троих?

— Угу. Эта баба — не твоя мать, Нюська. Заруби себе это на носу и не ерзай понапрасну. Плащ понадобился для того, чтоб убедить тебя в обратном. Твоей матери достаточно было бы набрать номер телефона и сказать: дочка, это я.

Тут у меня из глаз градом покатились слезы. Илья привлек меня к себе и поцеловал в макушку.

— А если... если она просто не может позвонить? — размазывая слезы, спросила я.

— Кто-то манипулирует твоей матерью? Вот тебе горькая правда: она не может позвонить, потому что это невозможно. Физически. Оттуда, где она сейчас, не звонят по телефону. Я тебе обещаю сделать все, что в моих силах. А сейчас мне надо бежать. Положу еще один кирпич в фундамент нашего общего светлого будущего.

Он собрался выходить из машины, когда я сказала:

— Берзинь возле меня крутится. Уже дважды случайно встречались.

— О-па, — произнес Илья с усмешкой. — Я сказал ему, что ты моя невеста. И теперь он вознамерился уложить тебя в постель. Это он так самоутверждается. Ни одна девушка не может отказать ему... Не обращай внимания, и ему все быстро надоест. Он ветреный мальчик.

Илья ушел, оставив в душе легкую обиду. Допустим, ревновать меня действительно ни к чему, но хотя бы легкую обеспокоенность мог проявить, если уж у нас общее светлое будущее. Союз двух единомышленников никакого энтузиазма не вызывал. Несмотря на критическое отношение к дражайшим родителям, Илья, на мой взгляд, слишком торопился быть на них похожим. Совет лететь на Мальдивы душу тоже не грел. Что я там забыла, спрашивается? Я планировала отпуск в конце августа и нарушать планы не собираюсь. Но самым непосильным оказалось следовать совету ничего не делать и никуда не лезть. Такое мог придумать лишь человек, ни черта не смыслящий в женской психологии. А еще адвокат!

Ночь я провела, ворочаясь с боку на бок, в промежутках пялясь в потолок. Слова Ильи крепко засели в голове, но не те, что касались стратегии борьбы с врагами, а самих врагов. Выходило, они обретаются по соседству в исключительной близости. Рассказать историю с винным пятном могли трое ее участников, и людям близким. Вряд ли бы папа стал делиться воспоминаниями со случайным знакомым. А мама? Если бы мама, например, хотела, чтобы я не сомневалась в том, что она — это она, выбрать плащ вполне логично. Уж я-то его точно узнаю. Стоп, это что же получается? Она нарочно его Берзиню подсунула? Зачем все эти шпионские игры? В самом деле, позвонила бы и сказала: «Дочка, помоги мне». Или сделать этого она не может? Действует по чьей-то недоброй воле, но пытается вести свою игру.

Примерно где-то в этом месте я уснула, а утром вознамерилась проверить одну свою догадку. И поехала в дом родителей, с трудом дождавшись девяти часов. В это время папа обычно уже на работе. Встречаться с ним я не планировала и оттого для начала позвонила. Мы мило поболтали, и я между делом спросила, где он. Папа ответил «на работе», и я поехала в родительский дом. Бросила машину возле ворот и поспешно поднялась на крыльцо.

На консоли в холле я заметила сумку домработницы и удивилась: обычно она приходила через день.

— Светлана Петровна! — позвала я, мне никто не ответил. Пылесос стоял посреди кухни.

Я бегом поднялась по лестнице на второй этаж и в гардеробной мамы едва не налетела на домработницу, изрядно ее напугав. Она схватилась за сердце, слабо охнув.

— Анечка, — пробормотала едва слышно.

— Я вас звала, вы, наверное, не слышали.

— Наверное. Вчера к зубному ходила, пришлось закончить пораньше, вот сегодня пришла кое-что доделать.

Как видно, из-за недавнего испуга она была чересчур суетливой и принялась подробно все объяснять, что не доделала вчера и что собирается сделать сегодня. По неизвестной причине мое присутствие в гардеробной ее смущало.

— Я подумала, надо бы шубы Татьяны Витальевны на веранде вывесить. На солнышко. Проветрить. Как бы моль не сожрала.

— Да. Наверное, надо.

Мы так и стояли в дверях гардеробной, толком не зная, что делать дальше.

— Ну я тогда сейчас и повешу, — сказала Светлана Петровна, прошла к шкафу, где висели шубы, взяла их и понесла на веранду.

А я решительно направилась к висевшему справа чехлу из-под плаща. Уже по его виду становилось понятно: меня, скорее всего, ждет сюрприз. Я расстегнула молнию и криво усмехнулась. Чехол вовсе не был пуст. На вешалке висел мамин плащ. Тот самый, с винным пятном.

Впечатление это произвело такое, что я почувствовала настоятельную потребность сесть и опустилась прямо на пол. Итак, кто-то забрал плащ из гардеробной, потом выкрал его из машины и вернул на место. Кто мог дважды войти в дом отца? Ответ прост: тот, у кого есть ключ. То есть я, папа и мама. Или человек, с ней связанный. Замки с момента ее исчезновения не меняли. Но вовсе не обязательно, что ключ она отдала добровольно. Если не играть словами и не бояться произнести то, во что упорно верить не хочется, ключи могли быть у ее убийцы. Теперь неплохо бы понять: какую игру он затеял? Пятилетний срок на исходе, и игра, безусловно, связана с признанием маминой смерти. То есть с наследством. С деньгами.

Я потянулась за мобильным с намерением звонить отцу. Если убийца свободно разгуливал по дому... Но рука вдруг замерла где-то на половине пути от жутковатой мысли, которую я даже додумывать не хотела. Поднялась с пола и направилась к входной двери, торопясь покинуть дом.

— Анечка, ты уходишь? — услышала я голос за спиной.

— Да. Всего доброго.

Светлана Петровна, появившаяся из кухни, смотрела так, точно увидела привидение. Должно быть, у меня еще тот видок... Я выжала из себя улыбку, распахнула дверь и наконец-то оказалась на улице. Илья прав: надо оставить все как есть. Не на время, а навсегда. Не всякую правду стоит искать.

Примерно такие мысли вихрем кружили в моей голове, пока я ехала в мастерскую. Не успела я войти в свой маленький офис, как одна из моих сотрудниц сообщила, почему-то понижая голос:

— Аня, у тебя посетитель.

Сердце сделало скачок, я вдруг решила: это пришли из полиции. В свете последних событий предположить такое вполне естественно. Готовясь к испытаниям, я вошла в кабинет и тут же выругалась сквозь зубы. За столом на моем месте сидел Берзинь, нахлобучив на лоб шляпку из новой коллекции.

— Отличный выбор, — сказала я. — Тебе идет. Еще бы бороду отпустить.

— Оставь эти странные намеки, — засмеялся он, снимая шляпу.

— И что это за перформанс? — продолжила я, подходя ближе, уверенная, что он поднимется и уступит мне место.

Но он лишь крутанулся в кресле, поворачиваясь ко мне, и выдал улыбку. Надо полагать, коронную. После такой улыбки приличной девушке следовало упасть к нему на колени, а прочим начать раздеваться.

— Просто хотел поздороваться.

Он кивнул на огромный букет, лежавший на столе, заваленном выкройками. Рядом с букетом — коробка конфет, причем конфеты мои любимые, и бутылка коллекционного шампанского.

— Я заслужил твою улыбку?

— По утрам у меня обычно скверное настроение. Но такой способ здороваться мне нравится. Захочешь пожелать мне доброй ночи, пригоняй «Мазератти».

— Заметано, — ткнул он в меня указательным пальцем. — «Мазератти» не самая дорогая игрушка.

Не дождавшись, что мне уступят место, я устроилась на кончике стола и спросила с намеком на утомление:

— Ты зачем притащился?

Развалившись в кресле, он еще немного покрутился туда-сюда, глядя на меня с насмешливой улыбкой, которую принято считать сексуальной. В действительности в ней отчетливо читалось превосходство мужика, точно говорившего без слов: «Захочу, трахну прямо сейчас».

— Мой старик любит повторять: или туши все на хрен, или подкладывай дров.

— Ну и?

— Я к тебе с дровами, — смеясь, развел он руками.

— В смысле, большая любовь не за горами?

— Именно так.

— Тебе следовало запастись ведром с водой, а еще лучше брандспойтом.

— Просто ножом по горлу, — хмыкнул он. — За что, девочка?

— Ты не в моем вкусе...

Он скроил физиономию, словно хотел сказать «надо же», не сомневаясь: такого просто быть не может.

«Законченный придурок», — с печалью подумала я, а вслух сказала:

— Такие, как ты, любят головой, иногда яйцами и никогда сердцем. Налицо трагическое противоречие наших мировоззрений.

— То есть тебе нужен идиот с прекрасной душой?

— В самую точку. Как видишь, твои шансы равны нулю. Так что выметайся.

— Не знаю, что тебе успели наболтать, но я — неплохой парень.

— Не сомневаюсь.

— Девок вокруг меня много, это факт, но я отлично понимаю: западают они в основном на мое бабло. Его у меня в избытке, прибавь еще батино: я ведь счастливый наследник. А ты из тех, кому мои деньги пофиг. И это радует.

— Наверное, — кивнула я. — Ты мне тоже пофиг, так что не много выгадал.

— Настоящая любовь преодолеет все преграды.

— Настоящая — это точно.

— Просто ты боишься конкуренции, — засмеялся он. — Девочка-скромница ищет парня попроще?

— Лучше и не скажешь.

— Мне нравятся скромницы. И во мне нет ничего сложного.

— Спасибо, что нашел для меня минутку в своем плотном графике, но мне надо работать.

Я спрыгнула со стола, а он взял меня за руку.

— Детка, я дал себе труд покопаться в твоей биографии.

— Да ты что? Много времени потратил?

— Та баба в подворотне... Твоя мать исчезла четыре года назад и до сих пор от нее нет никаких вестей?

— О даже как! — с трудом сдерживаясь, присвистнула я. — Какой далекий экскурс в прошлое.

— Я нашел ее фото, — не обращая на это внимания, продолжил Берзинь. — Конечно, я видел эту бабу полминуты, но она как две капли воды похожа на твою мать. И удирала от тебя во все лопатки. Что происходит, детка?

— А вот это не твое дело, — отрезала я. — Дверь там.

Он поднялся и, глядя мне в глаза, спросил серьезно:

— Твой отец знает? Знает, что тут за дерьмо творится? — Он вздохнул и головой покачал. — Ни черта он не знает, верно? Какая-то сволочь решила тебя использовать, а ты молчишь, боясь навредить отцу, понятия не имея, во что тебя втягивают.

— Я сама отлично справлюсь, — сказала я, сообразив, что просто так от него не отделаться и придется договариваться.

— Не отказывайся от помощи. У меня есть возможности, любые связи. Я мужик, в конце концов, и смогу тебя защитить.

— Вот на хрена тебе это? — разозлилась я, отступая на шаг.

— Ну это просто: бегу с вязанкой дров. Хочу быть для тебя защитой и опорой. Главным человеком в твоей жизни... — Здесь он дурашливо улыбнулся.

— Супер. Помнится, мой отец не в ладах с твоим отцом.

— Да ради бога. Я никогда не путал бизнес и личные отношения. Твоего батю я по-любому сделаю, а ты нуждаешься в поддержке, это совершенно ясно. На Илюху не особо рассчитывай. Он законник до мозга костей. А то, что собираюсь сделать я... назовем это неофициальным расследованием.

— То есть с явным нарушением действующего законодательства?

— Как раз моя тема. Я же конченый отморозок, если верить твоему Илье.

— Какое еще расследование? — проворчала я, а под ложечкой уже засосало. Зачем, скажите на милость, мне такой мутный тип в союзниках? С другой стороны, он прав: у него есть связи, есть возможности и ни малейшей боязни нарушить закон.

— Мне надо поговорить с одним человеком, — точно со стороны услышала я свой голос.

— Кто этот человек?

— Работает у отца. Юрист. — Я немного замешкалась, вздохнула и продолжила: — Фамилия Николаев. Игорь Михайлович. Сейчас он вроде бы на больничном. В любом случае вряд ли он захочет со мной встречаться. И, вполне возможно, дома не покажется.

— Адрес есть?

— Да. — Я назвала адрес. — Записать?

— Запомню. Обещаю, ты с ним встретишься и поговоришь. Я позвоню, — направляясь к двери, сказал Берзинь.

— У тебя есть номер моего телефона?

— Обижаешь, — усмехнулся он и скрылся за дверью, оставив меня гадать, насколько идиотским было решение обратиться к нему с такой просьбой.

Он позвонил часа через два.

— Я возле его дома, сможешь подъехать?

— Конечно, — ответила я, хватая сумку, и через несколько минут уже была в такси.

Когда машина свернула к дому, где жил Николаев, я увидела Лео. Он неспешно прогуливался, сунув руки в карманы ветровки. Я машинально отметила, что он отлично выглядит, и затосковала, сурово напомнив себе: «Не будь дурой». Заметив такси, он помахал мне рукой и пошел навстречу.

— Николаев в своей квартире. Можно попытаться войти с его согласия, а можно обойтись без него. Ты какой вариант предпочитаешь?

— Менее травматичный.

— Для него или для нас?

— Дверь нам он, скорее всего, не откроет.

— Такие пустяки не должны тебя беспокоить.

— Ты домофон заметил? Николаев увидит нас и затаится.

— Вряд ли.

— Что?

— Вряд ли увидит. Как говорится, не придумали еще японцы ничего такого, что русские не смогли бы сломать.

Я весело фыркнула.

— Ты себя считаешь русским?

— А кто я, по-твоему? — удивился он.

— Лео Берзинь звучит не очень-то по-русски.

— В общем, да. Ты, кстати, не задумывалась, почему американец, немец, итальянец и так далее — имя существительное и только русский — прилагательное? Это означает принадлежность к месту под названием Россия. Кто считает ее своей, тот и русский.

— В этом что-то есть, — кивнула я.

— Прежде чем мы отправимся в гости, объясни, чего ты хочешь.

— Просто поговорить, — пожала я плечами.

— Просто поговорить или задать вопросы и получить на них ответы?

— Надо полагать, это не одно и то же.

— Не одно. Поговорить вы можете и без меня, а вот если он не захочет отвечать, потребуется мое вмешательство. Надеюсь, ты не против, если я буду присутствовать?

— Не против, — проворчала я, уже сомневаясь, стоит ли идти. — Надеюсь, обойдется без членовредительства.

— Да услышит тебя Господь, — с серьезным видом кивнул он.

В подъезд мы вошли без проблем. Оказалось, что все это время за квартирой Николаева наблюдали люди Берзиня. Кто они такие, я не знала, точнее, затруднялась с определением. На мой вопрос об этом Лео ответил со свойственной ему улыбкой, которая могла означать что угодно:

— Батина личная гвардия. Ну и моя, в какой-то степени.

Вспомнив Илюшкины слова о его родителе, да и о самом Лео, я затосковала еще больше. Но давать задний ход было уже поздно.

Мы поднялись на этаж, где жил Николаев. Никого из личной гвардии поблизости не наблюдалось, за исключением типа, что открыл нам дверь внизу, но он там и остался, вызвав тем самым вздох облегчения.

Кстати, ничего зловещего в нем не было, даже наоборот. Симпатичный парень с волосами до плеч и серьгой в ухе. С Берзинем они переглянулись, не произнося ни слова, но когда тот отвернулся, парень широко улыбнулся и мне подмигнул. Я в ответ тоже подмигнула, должно быть, с перепуга.

Мы замерли возле квартирной двери, мой спутник нажал кнопку звонка, стоя сбоку. И меня легонько сдвинул в сторону. Минуту, не меньше, было тихо, дверь не открывали, и я подумала: возможно, Николаев действительно повредил лодыжку и просто не в состоянии подойти. Но тут из-за двери спросили:

— Кто?

Берзинь кивнул мне, и я сказала:

— Игорь Михайлович, откройте, пожалуйста. Мне необходимо с вами поговорить.

— Уходите. Я плохо себя чувствую.

— Мама здесь? Она у вас?

Я говорила довольно громко, и это, видимо, ему не нравилось. Не хотел привлекать внимание соседей? Замок щелкнул, дверь чуть приоткрылась.

— Вы что, совсем с ума сошли? — зашипел он, но договорить не успел.

Берзинь толкнул дверь со всей силы, а сил у него оказалось немерено. Николаев отлетел в сторону, не удержался на ногах и упал, а мы вошли в квартиру. Меня слегка потрясывало, Лео, напротив, был абсолютно спокоен и повода волноваться не видел. Я бросилась к Николаеву со словами:

— Вам помочь?

Штанина пижамных брюк задралась, и я увидела на щиколотке тугую повязку.

— Обойдусь, — резко ответил Николаев, исподлобья глядя на Лео. Поднялся, держась за стену, и сказал, обращаясь ко мне: — Надеюсь, вы знаете, что делаете. И с кем связались. — Он усмехнулся, покачал головой и добавил: — Очень неподходящая для вас компания.

— Я в курсе, что наши отцы не дружат.

— Не дружат? — Николаев нервно хихикнул. — Вообще-то, они сожрать друг друга готовы. Но мне до этого дела нет. Пусть сожрут. По мне, так ваш папаша это заслужил. Странно только, что вы к этому так стремитесь.

— Я хотела поговорить с вами. О моей матери.

Мы еще были в прихожей, а Берзинь успел пройтись по квартире и сказал, кивнув в сторону комнаты, из которой только что вышел:

— Взгляни.

Я отправилась в комнату, вслед за мной ковылял Николаев, а за ним Лео. Вся стена напротив была увешана мамиными фотографиями. Их было не меньше десятка. На одной рядом с мамой стоял Николаев. Скорее всего, это была какая-то официальная встреча. Мама в деловом костюме, Николаев тоже при всем параде, справа от мамы стоял кто-то еще, плечо можно было разглядеть, но сам человек в кадр не попал, или фотографию попросту обрезали.

— Тянет на большие неприятности. — Берзинь указал на фото. — Учитывая, что предмет твоей большой любви исчез с радаров. Чего не убрал-то?

— Зачем? — пожал Николаев плечами, садясь в кресло. — Я не сделал ничего плохого. Просто любил эту женщину.

— Не каждый прокурор в это поверит.

— А мне плевать.

— Ага, ее нет, и жизнь лишилась смысла?

— Такие, как ты, понятия не имеют о подобных вещах. Все осмеивать — единственное, на что вы способны. Вас интересуют только деньги, ну и еще власть. Покуражиться, унизить — на это вы мастера.

— Блестящая характеристика, но мы не за этим.

— Вы должны были встретиться в сквере с моей мамой? — спросила я.

Николаев смотрел на меня в полнейшем недоумении.

— Что? — наконец переспросил он.

— Зачем вы пошли в сквер?

— Ни за чем. Хотел немного успокоиться. Ваше появление вывело из равновесия.

— И вы не видели мою мать?

— Что вы болтаете? Вы вообще в своем уме?

— Я следила за вами, — торопливо начала объяснять я. При этих словах Николаев криво усмехнулся и головой покачал. — Вы вошли в сквер, а через минуту после этого на пешеходном переходе я увидела женщину, очень похожую на мою мать. Заметив меня, она бросилась бежать.

— Может, вам стоит обратиться к врачу? — сказал он устало. — Ваша мать исчезла четыре года назад, и я больше не видел ее и ничего о ней не слышал.

— Какие у вас были отношения?

Николаев вновь покачал головой.

— Вы хотите, чтобы я говорил при этом... человеке? — кивнул он в сторону Берзиня.

— Я буду на кухне, — с готовностью сказал Лео. И удалился. А я устроилась на краешке дивана.

— Слушаю, — сказала я.

Николаев немного помолчал, точно собираясь с силами.

— Я ее любил. Ничего удивительного. Она заслуживала любви. Настоящей. Которой у нее не было.

— Это вы сейчас о моем отце?

— Разумеется. Ваш отец из тех, кто не умеет ценить то, что получил от судьбы. Типичный богач, который считает: женщин надо менять, как машину или квартиру.

— Это неправда, — отрезала я.

Николаев усмехнулся.

— Ну конечно. Они были идеальной парой. Образцовой семьей. Немногого хватило, чтобы этот прекрасный мир в одночасье исчез. Всего лишь появления девицы, не умной и даже не особо красивой. Она, кстати, чем-то была похожа на вашу мать. Вкусы у него остались прежними, что, наверное, похвально. Правда, она в подметки вашей матери не годилась, зато была на двадцать лет моложе. В глазах вашего папаши это перевесило все. И идеальную пару, и счастливую семью. Все.

— Надо полагать, вы от этого только выиграли, — зло заметила я. — Сомневаюсь, что в противном случае у вас были бы шансы.

— Да у меня их и так не было, — вздохнул он. — Ваша мать не была моей любовницей. Мы остались друзьями. Точнее, это я был ей другом. Она... она стала для меня всем. Смыслом жизни, который исчез вместе с ней, как правильно заметил ваш приятель.

— И вы ничего не знаете о женщине, которую я видела возле сквера?

— Ничего, — покачал он головой.

— Я вам не верю, — подумав, сказала я. — Вероятность совпадения ничтожно мала.

— Скорее всего, вы просто ошиблись.

— Допустим. Я ошиблась. Это не моя мать. Но на женщине точно был ее плащ. Я проверила. А когда я попыталась поговорить с вами, приехав сюда, его украли из машины.

— Разве нет похожих плащей? — развел он руками.

— Есть. Но этот был особенный. А главное, он сначала исчез из гардеробной, а потом вновь там появился.

— Мне нечего вам сказать.

— Послушайте, она моя мать, и я хочу знать, что происходит. Что произошло четыре года назад и что, черт возьми, происходит сейчас?

— Я могу рассказать вам мою историю. Если хотите.

— Хочу.

— Я проработал в фирме примерно год, когда мы... когда я впервые оказался в кабинете вашей матери. Конечно, мы и до этого встречались: на совещаниях, в коридорах или столовке. Она была так красива... но я и мысли не допускал...

— Ваши чувства меня не особенно волнуют, — перебила я, слушать его было неприятно, он хотел занять место моего отца и тем самым разрушить мою жизнь. За это в тот момент я его ненавидела.

— Я готовил иск в суд, и мы часто встречались, обсуждали рабочие моменты, — деловито заговорил он, покончив с лирикой. — Она быстро оценила меня по достоинству. Видела, что, несмотря на молодость, я отличный специалист.

— А другие не ценили?

— Ваш отец, вы имеете в виду? Сомневаюсь, что он обращал на меня внимание. Ваша мать гораздо старше меня и выбрала покровительственно-насмешливый тон для общения. Я бы сказал, материнский. Много шутила, рассказывала о вас.

— О господи, — фыркнула я. — Хотите сказать, она мечтала о таком зяте?

— Уверен, ей бы и в страшном сне не привиделся в этой роли Лео Берзинь, — парировал он. — Но вы мало похожи на свою мать. И меня вы точно не интересовали. А вот рядом с ней... Хотелось совершать подвиги. Вам понятно, о чем я? Я был счастлив работать с ней, по сути, это были самые лучшие наши дни...

От этого «наши» меня едва не передернуло.

— Извините, забыл, мои чувства вас не интересуют. Потом она вдруг изменилась. Стала задумчивой, у нее пропал интерес к работе, а после ко всему прочему. К жизни. Я наблюдал все это, но не решался заговорить. Затем я узнал... услышал, о чем шепчутся по кабинетам.

— У отца появилась любовница? — задала я вопрос, хотелось поскорее покончить с этим.

— Ваш отец запал на девицу-практикантку. Тупую, вечно хихикающую, вульгарную.

— В его возрасте это случается.

— Он мог бы выбрать кого-то получше и найти для этого другое место. Чтобы не унижать вашу мать.

— Значит, у отца была связь с практиканткой, а мама об этом узнала? Донесли добрые люди?

— Я не знаю, донесли или сама догадалась. Я видел, что она страдает, и хотел помочь. Но не знал как. Практика закончилась, девица больше не хихикала в коридорах, ваша мать понемногу успокоилась. А через несколько месяцев все повторилось.

— Девица вновь хихикала в коридоре?

— От этого мы были избавлены. Но ваша мать... Она была несчастлива с ним. И однажды я решился... решился заговорить. Она была на грани, я это видел. При посторонних еще держалась, а оставаясь одна, могла часами смотреть в одну точку.

— Вам-то откуда знать?

— Знал. Ее секретарша тоже знала.

— Она терпеть не может моего отца.

— Потому что он это заслужил, — заявил Николаев. — Я заболел, остался дома, документы были у меня с собой. И ваша мать приехала за ними. Могла бы прислать курьера, но приехала сама. Я думаю, к тому моменту она чувствовала себя крайне скверно. В общем, мы встретились здесь, и она мне все рассказала.

— Ваши стены были украшены точно так же? — съязвила я. — Изменник-муж и преданный обожатель. Бальзам на женское сердце.

— Вы любите отца больше, чем мать? — хмуро осведомился он.

— В зависимости от времени года, — ответила я, но он, в сущности, был прав.

С отцом мы всегда были ближе. В детстве — совершенно точно. Мама могла наказать, отец — никогда. Я знала: он любит меня больше всего на свете. И для меня он был самым главным человеком. Почему был? Разве что-то изменилось? Конечно, изменилось. Рядом не стало мамы, и я поняла, каково это без нее. И как я ее люблю. Иногда, чтобы понять простые вещи, надо все потерять.

— Это вы так иронизируете? — усмехнулся Николаев. — Фотография была одна. Вот этот портрет, — ткнул он пальцем в фото в резной рамке, висевшее в центре стены. — Но она все поняла. И расплакалась, сказала, что благодарна мне. Но очень любит своего мужа, свою семью. И рассказала, что мучило ее.

— Рассказала о практикантке?

— Да. О том, что стала замечать: муж переменился. Что-то неуловимо менялось в отношениях... еще вчера все хорошо, и вдруг... Она узнала об измене раньше, чем пошли слухи. А когда узнала об этой девице... Она была не только предана, но унижена, оскорблена. Ваш отец все отрицал, сказал: девчонка в самом деле ему нравится, но ничего у них не было. Вашу мать это не успокоило. Она поняла: все еще хуже. Это не интрижка на работе. Он в самом деле влюбился в это ничтожество. Но, по ее словам, он был намерен сохранять семью, и после того, как практика закончилась, и девица в фирме не показывалась, они больше не встречались. Ваша мать ему поверила. Мало того, принялась винить себя. Ей казалось, что наши невинные встречи — это предательство и их надо немедленно прекратить. Но потом что-то в поведении мужа ее вновь насторожило. — Николаев замолчал и принялся пялиться в стену над моим плечом. Это здорово действовало на нервы, но я терпеливо ждала. — Она проследила за ним и узнала, что он с ней встречается, — наконец произнес он. — Ваша мать сидела там, где сейчас сидите вы, и плакала. Я никогда не видел ее плачущей и не знал, что делать. Я пытался ее утешить, повторяя банальности: «Все наладится, все будет хорошо...» Она не хотела жить, настолько больно он ее ранил.

— Когда это произошло?

— Примерно за полтора месяца до ее исчезновения.

— Фамилию девицы помните?

— Нет. Имя вроде Анастасия. Но и в этом не уверен.

— Как же так? Вы вместе работали...

— Она работала в другом отделе. Я с ней не знакомился и даже не встречался. Видел всего пару раз. Коллега показал на нее пальцем, когда мы обедали, и с усмешкой произнес: «Болтают, хозяин глаз положил на эту куколку».

Теперь Николаев смотрел на меня, точно ждал реакции.

— Вы сказали, она похожа на мою мать?

— Тот же тип лица. Шатенка, волосы до плеч...

— Когда она проходила практику?

Он ненадолго задумался и ответил. На всякий случай я сделала запись в телефоне.

— Что было дальше? — задала я вопрос, убирая телефон в сумку.

— Дальше? — нахмурился он. — Дальше ничего не было. Мы больше не встречались. То есть мы, конечно, виделись, продолжали совместную работу, но... ваша мама отдалилась от меня. Доверительных разговоров тоже не было. В тот раз она сказала, что никогда его не простит, что просто не сможет жить с этим человеком. С предателем. Но, как видно, смогла. Решила терпеть, на все закрыть глаза. Это я так думал. — Николаев сцепил руки замком и насмешливо смотрел на меня. — Только я ошибался, — сказал, чуть помедлив. И улыбнулся. Странная это была улыбка.

«Он чокнутый», — внезапно подумала я.

— Ошибались?

— Почти уверен. Она готовилась.

— К чему?

Николаев пожал плечами.

— Разве не очевидно? Она хотела ему отомстить.

— Стоп, стоп... Она исчезла, чтобы отомстить отцу? Чтобы он владел фирмой, счастливо жил со своей любовницей? В этом заключался гениальный замысел?

— Она оставила завещание, — пожал он плечами. — Наверное, боялась, что он ее опередит. И оказалась права.

— А можно потолковее? Я в большом волнении не успеваю за вашей мыслью, весьма витиеватой, кстати.

— Вы в самом деле хотите этого? — нервно хихикнул он, а я вновь подумала: чокнутый. — У нее кто-то был. Кто-то другой, не я.

— И с чего вы это взяли? — призывая себя к терпению, спросила я.

— Я же сказал: она отдалилась. И вовсе не потому, что простила мужа. Наоборот. Она хотела отомстить, и ей нужен был человек, который в этом поможет.

— Вы видели этого человека?

— Нет. Но слышал, как однажды она говорила с ним по телефону. У нее даже голос был совсем другой. Быстро закончила разговор. «Не сердись, я перезвоню». Именно так она сказала. Я подумал, вдруг она говорила с мужем? Они помирились, она умоляла не бросать ее... Я боялся этого и все-таки... хотел, чтобы было так. Чтобы она перестала страдать. Она вышла в приемную, оставив мобильный на столе. И я посмотрел историю звонков. Это был не ваш отец.

— А кто?

— Некто, кого она обозначила одной буквой «О».

— Занятно. Номер, случайно, не запомнили?

Николаев покачал головой.

— Значит, моя мать решила отомстить отцу, а этот «О» ей помогал?

— Это мое предположение. Вы можете вовсе не принимать его во внимание.

— В чем состоял их план? По вашему предположению?

— Не знаю, — ответил он, не обращая внимания на мою иронию. — В любом случае его не удалось осуществить.

— Потому что мой отец ее опередил? Надеюсь, вы все это рассказали следователю? — Голос мой дрожал от злости.

— Нет, не рассказал, — спокойно ответил Николаев.

— Как же так? Ведь вы любили ее? А это, безусловно, помогло бы в поисках... Боялись моего отца? Работу не хотели потерять?

— Да вы просто дура. Совсем не похожи на свою мать. Вы — точная копия вашего папаши. Плевать я хотел на деньги, на карьеру... Я боялся помешать ей. Вот и все.

— То есть ее исчезновение вы связали с неким гениальным планом? — начала соображать я. — Который, по вашему мнению, она претворяла в жизнь.

— Да.

— Но сейчас вы так уже не думаете?

— Четыре года — слишком большой срок. Скоро ее признают умершей. У вашего отца будут развязаны руки, а она уже ничего не сможет...

— Когда вы сказали, что мой отец опередил ее, вы что имели в виду?

— Разве не понятно?

— Вы назвали меня дурой, чему ж удивляться?

— Хорошо. Хотите услышать, пожалуйста: я думаю, что ваш отец убил вашу мать. Спрятал тело и разыграл весь этот спектакль с исчезновением. Все это время он делал вид, что ищет ее. Но я думаю, ему прекрасно известно, где она...

Признаться, от этих слов мне стало не по себе. Еще несколько дней назад, услышав подобное, я бы мысленно выругалась и поспешила забыть этот разговор. Но теперь все было иначе. Теперь выяснилось, что мои родители вовсе не пример для подражания, и их история любви вряд ли будет воспета поэтами. Была любовь, и нет любви. Однако подобные обвинения должны строиться на чем-то куда более серьезном, нежели догадки.

— Мой отец был в офисе, когда маму видели в последний раз, — как можно спокойнее сказала я. — И, по утверждению свидетелей, офис он не покидал. Все его передвижения в тот день и последующие полиция изучала весьма тщательно. Он ведь первый подозреваемый, а по сути, единственный. Но повода обвинить его так и не возникло.

— Деньги творят чудеса. Вспомните его друзей...

— Чушь.

— К тому же он умен. И у него было время подготовиться.

— Вы повторите свой рассказ в полиции?

— А вы собираетесь идти в полицию?

Кажется, за все время разговора в его голосе я уловила интерес.

— Если найдется с чем.

— Будьте осторожней, — усмехнулся Николаев. — Вдруг отцовская любовь окажется не особо сильной.

— Я буду помнить об этом, — кивнула я, поднимаясь, и направилась к входной двери.

— Постойте, — позвал Николаев. — Вы сказали, что видели возле сквера женщину, похожую на вашу мать?

— Видела. Мало того, на ней был ее плащ, который потом вновь оказался в гардеробной.

— Значит, надежда все-таки есть.

Если в этом высказывании и содержался вопрос, то едва уловимый.

Из кухни возник Берзинь. Я умудрилась забыть о его существовании. Мы молча покинули квартиру, уже на лестничной клетке он сказал:

— Удивляюсь твоей выдержке.

— В смысле?

— Он ведь обвинил твоего отца в убийстве.

— Ты что, подслушивал?

— Конечно. А если бы этот тип накинулся на тебя?

— Не знаю, что хуже: рукопашная с этим типом или твоя осведомленность.

— Я на твоей стороне, раз уж подался в добровольные помощники. Николаев прав: не лезла бы ты во все это.

— Тебя кто спрашивает, советчик? Спасибо за помощь.

Мы вышли из подъезда, я собралась проститься с Берзинем. Желательно навеки. Он ухватил меня за руку и настойчиво запихнул в свой «Рендж Ровер».

— Милая, я легко могу представить, что ты сейчас чувствуешь. Но очень прошу, не спеши с выводами. Лично у меня этот Николаев вызывает куда больше подозрений. Он любил твою мать, но ее любовником так и не стал. Потому что она любила твоего отца, или потому что сам Николаев жалкое ничтожество. При таком раскладе даже не трахнуть ее... Извини, о родителях следует говорить уважительно. Короче, у него был повод ее убить. А что? Он сунулся к ней с домогательствами. Она его послала, и сгоряча он ее... Хоть он и рохля, но мужик и с женщиной по-любому справится. Оттого об их нежной дружбе и помалкивал. Ведь все это время он был вне подозрений. Полицейские попросту не обращали на него внимания.

— Они беседовали со всеми сотрудниками, насколько я знаю, — пожала я плечами.

— Вот именно. С ним беседовали как с одним из сотрудников, а если бы они знали то, что знаем мы?

— Что делать-то? В полицию на него заявлять? — спросила я.

— Попробуем справиться сами. — Я закатила глаза, а он добавил: — В таких делах лучше не спешить, не то такого наворотишь... И я совсем не против затяжного расследования, — улыбнулся он. — Буду рядом на законном основании. Ты в меня влюбишься...

— А ты, конечно, нет.

— А я уже влюбился. Чего б мне тогда с тобой таскаться. У меня дел выше крыши, а я, наплевав на все с высокой башни, решил стать Ватсоном. Цени.

— В этом месте надо аплодировать?

— Не стесняйся выражать свои чувства, милая. Ну вот, личико уже не такое испуганное, и в голосе появились привычные насмешливые интонации. — Он весело подмигнул, заводя машину. — Кстати, его предположение о том, что твоя мать затеяла какую-то игру, довольно интересно. И, вполне возможно, в этой игре он самый активный участник.

Лео выехал со двора, а я смотрела на него в некотором замешательстве.

— Потолковей можно?

— Пожалуйста. Они на пару задумали некую комбинацию, что появление твоей матери возле сквера, — если это твоя мать, конечно, — только подтверждает. Ты можешь игре помешать, и приходится принять меры. Само собой, мать озабочена твоей безопасностью, но и разрушить их планы ты не должна. А где гарантия, что ты непременно примешь ее сторону? Ведь отца ты любишь? Допустим, их главная цель — обвинить твоего отца в убийстве жены. А что? Это ли не сладкая месть: упечь его в тюрьму за убийство, которого он не совершал.

— С этим они явно затянули.

— Как посмотреть. Через четыре года многое подзабылось, те же свидетели уже не так уверены в своих показаниях, и вдруг появляются некие факты. А если инициатором нового расследования выступишь ты, это им, безусловно, на руку. Сунься Николаев в полицию сразу после исчезновения твоей матери и стал бы главным подозреваемым, с этой историей о платонической любви и фотографиями на стене. Добавь к этому гнусную рожу.

— Нормальная рожа.

— Гнусная. Не спорь по пустякам.

— А если про телефонный звонок он не врал и был некто «О»?

— Тоже любовник? Не многовато ли?

— Если он звонил ей на мобильный, его номер должен быть в распечатке ее звонков... Звонки совершенно точно проверяли. И не обратили внимания на этот номер... или обратили? Опрашивали всех, с кем мама общалась в последнее время, и если звонки были частыми, они должны были следователя заинтересовать. Установить человека по номеру мобильного труда не составит. Ты мог бы узнать?

— Что узнать? — нахмурился Берзинь.

— Был ли среди абонентов некий мужчина, не связанный с ней по работе, которого она могла бы обозначить в мобильном буквой «О».

— Ну ты даешь, — покачал головой Берзинь. — Ладно, попробую. С ментами, что занимались поисками, я, конечно, поговорю. И обещаю, что в лепешку расшибусь, но сведения добуду. С одним условием.

— Только без глупостей, — предупредила я.

— Будешь должна мне поцелуй.

— Один?

— Лучше два.

— Хорошо, облобызаю. Было бы за что.

— Ты, кстати, сможешь узнать фамилию практикантки? Или это я должен сделать?

— Обойдусь своими силами, — ответила я, прикидывая, стоит ли считать удачей, что у меня такой напарник. К моему отцу он добрых чувств не питает, и знать о неприглядных тайнах нашего семейства ему совершенно ни к чему. Кто ж думал, что он будет подслушивать! Хотя предположить такое вполне логично. Урок на будущее.

Я покосилась на Берзиня. Он смотрел на дорогу с сосредоточенным видом. Вряд ли его так увлек процесс вождения. Не худо бы знать, о чем думает добровольный помощник.

Почувствовав мой взгляд, он повернулся и выдал лучшую из своих улыбок, призванную вселять в девиц, сидящих рядом, уверенность в своей исключительности, по крайней мере, в глазах Берзиня. Ты, мол, для меня свет в окошке и все такое. Одним словом: повезло мне... Может, и правда повезло? Кое-какие достоинства у меня имеются, и почему бы мужчине вроде него... «Мужчины, вроде Берзиня, не влюбляются, — сурово напомнила я себе. — Они наживают миллионы». А вдруг молва не права и он вполне нормальный парень?

— Как насчет планов? — поворачиваясь ко мне, спросил он. — Не пора ли пообедать? Я знаю отличное местечко.

— Обед подождет. Давай прокатимся по одному адресу.

Я назвала адрес. Берзинь согласно кивнул, и мы отправились к Вяземским.

Я не сомневалась, что застану Нину Дмитриевну дома, и оказалась права. Машину Лео остановил метров за сто до калитки, я не хотела, чтобы Нина ее видела. И сразу прошла на лужайку за домом. Вяземская дремала, лежа на качелях, с книгой на груди.

— Нина Дмитриевна, — позвала я еще издали.

Она подняла голову, приветливо помахала рукой, но во взгляде, когда я подошла, читалось скорее недовольство.

— Хочешь чаю? — спросила она.

— Нет, спасибо. Я всего на пару минут. У меня вопрос...

— Ты опять? — всплеснула она руками.

— Я нашла предполагаемого любовника мамы, — сказала я. Нина замерла, глядя с недоверием. — Только он утверждает, что ничего между ними не было. Вы ведь знали о Николаеве?

— Допустим, — помедлив, ответила Вяземская.

— Зачем понадобилось придумывать историю с маминым раскаянием? — Я вовсе не была уверена в своих словах, но тут же поняла: так и есть.

— Твой отец ни в чем не виноват, — по слогам произнесла Нина, глядя исподлобья.

— Ваша с ним дружба вызывает уважение, — усмехнулась я и пошла к калитке.

— У нее еще кто-то был. Вспомни Алкину квартиру, — крикнула Нина мне вслед. — Нюська, прекрати все это... Слышишь?

Берзинь, откинувшись в кресле, в ожидании меня наслаждался Рахманиновым. Если я не путаю, конечно. Это он выпендривается? Или не перевелись еще на Руси денежные мешки с прекрасным музыкальным вкусом?

— Отвези меня в офис отца, — садясь рядом, сказала я. — Ты ведь знаешь, где это?

— Торопишься выяснить фамилию девицы? — нахмурился он.

— А чего тянуть?

— Послушай, если твой отец вдруг узнает... вряд ли ему это понравится. Стоит ли портить отношения со стариком? Может, лучше мне...

— Не называй моего отца «стариком». Ему еще далеко до старости, это во-первых, а во-вторых, звучит, по-моему, ужасно глупо.

— Ну извини. Мы с моим друг друга так называем, без привязки к возрасту. Но вопрос я задал не об этом.

— Как ты собираешься узнать фамилию девушки? У тебя что, есть шпионы в фирме отца?

Он присвистнул и головой покачал.

— Шпионы в фильмах о Джеймсе Бонде. Просто есть люди, которые сливают информацию. У твоего отца они тоже есть. Нормальный расклад, так что не спеши записывать меня в злодеи. А в данном случае все куда проще, учитывая, что проходить практику у твоего отца могли студенты только двух местных вузов.

Логично. Кстати, это избавило бы меня от необходимости объяснять сотрудникам отца свой интерес к практикантам. Вот только вопрос, что я выясню в результате и стоит ли об этом знать Берзиню. Итак, либо отец узнает, что я сую свой нос куда не просят, либо папаша Берзиня получит лишний козырь в тяжелой конкурентной борьбе. Прикидывала я недолго.

— Я же сказала: сама справлюсь.

Берзинь пожал плечами, но выглядел недовольным. Или мне это показалось? Вскоре он уже тормозил возле офиса.

— Спасибо за помощь.

— Ты мне должна два поцелуя.

— Пока не за что.

— Я буду ждать здесь.

— Зачем? — удивилась я.

— Что ж ты такая недогадливая? Надеюсь, мы вместе если не пообедаем, то поужинаем. И вообще, не хочется выпускать тебя из вида.

— Мне пора бежать без оглядки? — хмыкнула я. — Когда бизнесмен тратит свое драгоценное время почем зря, это вызывает подозрения.

— Всех денег не заработаешь, а личную жизнь пора устраивать, — усмехнулся он. — Если мы начнем мозолить глаза друг другу, до тебя, возможно, дойдет: я во всех отношениях отличный вариант.

— Это только до меня должно дойти? — еле заметным мимическим движением показав, какой из Берзиня вариант, уточнила я.

— Лично я уже определился: нет девушки прекраснее тебя.

— Плохо ты меня знаешь.

— Хочешь рассказать о своих тайных пороках?

— Лучше б ты о своих рассказал.

— Все мои пороки в прошлом, — засмеялся он. — Я только что начал новую жизнь.

Не найдя достойной реплики, я покинула машину. Въезжать на парковку возле офиса Берзинь не стал, наверное, не хотел, чтобы охрана обратила внимание на его машину.

Я не удержалась и, подходя к дверям здания, оглянулась, Берзинь успел отъехать и припарковал машину на противоположной стороне, напротив здания. Приоткрыл окно и махнул мне рукой. А я подумала, сколько девушек могли бы позавидовать мне в эту минуту? Столько, сколько в эту самую минуту его видели. Честно говоря, я бы и сама, наверное, начала повизгивать от восторга, если б не вполне обоснованные сомнения. Однако от надежд и девичьих мечтаний уже распирало. Правда, длилось это недолго. Стоило мне оказаться в офисе, как возникли совсем другие мысли, малоприятные.

Историю для кадровиков я придумала вполне сносную, но вряд ли она обманет отца, если о моем визите он узнает. В том, что узнает, и довольно быстро, я почти не сомневалась. И все-таки готова была и дальше копаться в грязном белье своих родителей. От этого на душе становилось муторно, но на мои намерения никак не повлияло.

Отдел кадров был представлен двумя дамами: Аглаей Степановной, женщиной пенсионного возраста, и ее помощницей или секретаршей, этого я не знала. О стремлении Аглаи к порядку ходили легенды. Моя мама закатывала глаза, лишь только речь о ней заходила, и утверждала, что отец Аглаю побаивался. Насчет «побаивался» не знаю, а вот то, что она позволяла себе делать ему замечания, факт неоспоримый. Пару раз сама при этом присутствовала. Правда, высказывалась Аглая вежливо и, безусловно, пеклась о благе фирмы. Следовательно, и о благе ее хозяев.

Помощнице было уже лет сорок, но ее упорно называли Леночкой все кому не лень. Несмотря на немалый возраст, она была до того наивна, что зачастую ставила граждан в тупик, а иногда начинало казаться, что это вовсе не наивность, а самая настоящая глупость. Однако Леночку все любили и так далеко в своих оценках не заходили, нрава она была веселого и начинала хихикать по малейшему поводу. Как они уживались с Аглаей, для меня загадка, но уживались уже лет десять как минимум.

В просторной комнате, которую они делили с Аглаей, Леночка находилась одна. Это было безусловным везением. Вопрос, сколько времени у меня есть.

— Привет, — с широкой улыбкой произнесла я.

Леночка улыбнулась в ответ и сказала:

— Ой, Анечка. Какое платье у тебя красивое. Так тебе идет. Наверное, дорогое?

— Не очень. А где Аглая Степановна?

— Ой, а ее уже сегодня не будет. — Почти все свои высказывания Леночка начинала с этого самого «ой». — Аглае Степановне имплант поставили и, видно, неудачно. Щеку так раздуло, ужас. Час назад уехала, больше не было сил терпеть. Кошмар, да? Дерут такие деньги за эти импланты, да еще настрадаешься. Я бы, наверное, лучше без зубов стала ходить.

— Значит, ее сегодня не будет? — изобразив на физиономии огорчение, близкое к отчаянию, задала я вопрос. — А она мне так нужна... Может быть, вы мне поможете?

— Ой, да коне́чно. Я с удовольствием. А что надо?

Я устроилась в кресле возле ее стола и принялась врать:

— Моя подруга учится на журналистку. Проходит практику в одной газете, папа помог. Сейчас с практикой беда, проходи где хочешь. Хорошо, у папы знакомый редактор. — Я решила, чем больше сведений, тем лучше, в надежде, что Леночка в моих словесах начнет путаться. — Подруге надо статью написать. Если в редакции статья понравится, ее даже напечатают. По крайней мере, обещали. И мы знаете что придумали? Рассказать о тех, кто проходил практику в папиной фирме. Как сложилась их дальнейшая судьба и все такое, а практика в фирме — это вроде старта. Понимаете? По-моему, интересная идея. И папе будет приятно. Опять же, неплохая реклама для фирмы. Вы как считаете?

— Ой, так здорово. Вы просто молодцы. Принесешь мне газету?

— Если статью напечатают. Для этого надо очень постараться. Мне нужна ваша помощь. Списки всех, кто проходил практику в нашей фирме, за последние шесть лет. Наверное, таких немного, но подходящие герои для статьи среди них, надеюсь, найдутся.

— Ой, мы ведь их на работу не устраивали, они же просто практику проходили. В журнале сотрудников их точно нет.

— Уверена, у Аглаи Степановны есть какая-то специальная папка.

— Позвонить ей?

— Неудобно, если она сейчас у зубного. Может, сами посмотрим?

— Архив у нас вон в том шкафу, — поднимаясь из-за стола, сообщила Леночка.

Папка нашлась быстро. На ней синим фломастером было выведено: «Практиканты». И содержались сведения за восемь лет.

— Сможете мне отсканировать списки?

— Конечно. Только знаешь что, Аня, Аглае Степановне об этом не говори. Она не любит, когда документы отсюда выносят.

— Какие же это документы? Просто списки практикантов. Но я, конечно, ничего не скажу.

Вернувшись к рабочему столу, Леночка отсканировала списки, в каждом было по три-четыре фамилии, адреса и год рождения. Мне не терпелось заглянуть в них, но я ждала, когда Леночка, закончив работу, аккуратно сложит их в папку-файл и, наконец, протянет мне.

— Это будет нашей тайной, — подмигнула я.

— Ой, я обожаю тайны! — воскликнула Леночка и даже в ладоши захлопала.

— Спасибо. Ну я пойду?

Уже стоя возле двери, я махнула рукой на прощание и убрала папку-файл в сумку. На мое счастье, в коридоре никто не встретился, значит, и объяснять ничего не придется.

Я спешно покинула офис и направилась к машине Берзиня. Завидев меня, он вышел из своего джипа, открыл заднюю дверь и достал букет белых роз, примерно в половину моего роста. Цветов никак не меньше пяти-шести десятков, удивительно, как он их держал-то одной рукой. Сунув букет мне, он сказал со смешком:

— Привет, красотка. Я успел соскучиться.

— Ты взялся за меня всерьез, как погляжу, — хмыкнула я, не зная, что делать с букетом.

— У меня далекоидущие планы.

— Я в восторге, но можно меня ненадолго избавить от цветочков? Они тяжелые.

Он подхватил букет и сунул его на заднее сиденье, после чего помог мне сесть в машину. Проходящие мимо девицы смотрели с такой откровенной завистью, что я невольно чертыхнулась сквозь зубы. Берзинь сел за руль и спросил весело:

— Ну как дела?

— Пребываю в эстетическом шоке. Ты такой прекрасный, букет такой прекрасный, твоя машина тоже прекрасна, и за что мне все это счастье?

— Иронизируешь? — хмыкнул он. — Прячешься за юмор? И как, помогает?

— Не очень.

— Такой девушке, как ты, конкуренции бояться глупо. Это мне следует переживать, вдруг ты найдешь кого-нибудь получше.

— А я переживаю? — удивилась я. Берзинь засмеялся:

— Детка, да мы просто созданы друг для друга.

— Не уверена, но ладно.

Горя нетерпением, я достала из сумки папку, Берзинь перестал ухмыляться и спросил:

— Поход прошел удачно?

— Надеюсь, — ответила я, извлекла из папки листы с фамилиями и быстро нашла нужный год.

На листке было всего четыре фамилии: две мужские и две женские. Николаев сказал, что девушку звали Анастасия. Первым делом я посмотрела на инициалы: «А.Д.», потом взгляд уперся в фамилию, и по спине прошел холодок. Нет, не холодок, арктический холод. Лопахина А.Д. Анастасия Денисовна? Так звали девушку, чей труп обнаружили под мостом. Можно было помечтать: это просто однофамильцы, а практикантка вовсе не Анастасия, а Анна и к отцу не имеет ни малейшего отношения. Или Николаев с именем напутал, и звали подружку отца как-то иначе, и сейчас она жива-здорова. Но картинка уже складывалась, и я точно знала: это та самая девушка. Потому отец и получил письмо с газетной вырезкой. Кто-то напомнил ему о гибели подруги. Вот только как эта самая гибель может быть связана с моим отцом?

— Эй, в чем дело? — услышала я и вздрогнула от неожиданности, успев забыть, где и с кем нахожусь. — Знакомая фамилия?

— Нет, с чего ты взял?

— Занятно выглядишь. Точно упыря встретила, готова бежать со всех ног, а они приросли к полу.

— Да ты просто мастер художественного слова, — присвистнула я, торопясь взять себя в руки. — На хрена тебе бизнес? Нобелевская премия у тебя, считай, в кармане.

— Надолго ли ее хватит? Деньги-то плевые.

— Как для кого.

— Если в ход снова пошла ирония...

— Тут всего две женские фамилии, — перебила я. — Лопахина А.Д., пожалуй, подходит.

— Адрес есть? Навестим девушку?

— Думаешь, она начнет рыдать и каяться?

— Каяться — безусловно, об этом я позабочусь.

— Звучит зловеще.

— Я не всегда мягкий и пушистый. Кстати, не пора ли нам перекусить? На сытый желудок планы строить веселее.

Я ничего не ответила, но моего ответа, похоже, и не ждали. В сумятице мыслей отчетливо звучала одна: никаких резких движений, чтобы потом не пожалеть об этом. В общем, предложение Берзиня пришлось кстати.

Очень скоро мы остановились возле кафе с милым названием «Малинка». Я-то думала, Лео продолжит впечатлять меня размахом и выберет самый дорогущий в городе ресторан, но он то ли решил намекнуть, что не чужд скромности, то ли собрался сэкономить. Кафе мне понравилось, кухня оказалась отличной, официанты приветливы, а народа в это время немного.

Мы устроились за столом, сделали заказ и заговорили о планах. У Берзиня их было куда больше, чем у меня. Парень он деятельный, к тому же для него это не более чем игра, и приходить в себя от очередного открытия не приходится, а вот мне требовалась передышка.

— Напомни, как ее фамилия? — достав мобильный, спросил он.

— Лопахина, — ответила я с заметной неохотой.

Он набрал номер и произнес:

— Меня интересует Лопахина А. Д. — Назвал год рождения девушки, а также адрес (мне пришлось его продиктовать). — Все, что сможешь узнать... Забей на все и займись этим.

— Кому звонил? — задала я вопрос, когда Берзинь убрал мобильный.

— Есть у меня один человечек... не сомневайся, милая, очень скоро мы будем знать об этой девице все.

Это был как раз тот случай, когда подобное заверение отнюдь не радовало. Вопрос, стоило ли связываться с Берзинем, возник вновь, но теперь, скорее, был риторический. Ему уже известно об этой девице, выяснить все остальное труда не составит. Теперь куда выгоднее продолжить дружбу, нежели вдруг отказаться от нее, вызвав тем самым раздражение, а заодно и любопытство.

— Кстати. — Берзинь сграбастал мою руку и добавил с улыбкой: — Мы будем только расследованием заниматься или кое-какая светская жизнь тоже предполагается?

— Скучаешь по ночным клубам? — хмыкнула я.

— Не скучаю. Я и раньше ими не особо увлекался... просто подумал, мы могли бы неплохо провести выходные. У меня есть яхта...

— Будем кататься в городском пруду? — съязвила я.

— Нет, зачем же, — вроде бы удивился он. — Яхта в Марбелье, необременительный перелет — и мы там.

— У тебя и самолет есть? — на всякий случай вытаращила я глаза.

— Самолета нет, — терпеливо пояснил он. — Есть регулярные рейсы бизнес-классом, даю слово, скучать ты не будешь.

— То, что с тобой не соскучишься, я уже поняла. Леня, — позвала я, — яхта в Марбелье — это немного слишком. Мои потаенные комплексы начинают расти как на дрожжах.

— Нет у тебя никаких комплексов, — отмахнулся он. — Откуда им взяться с твоей-то внешностью и твоим папой в придачу.

— Идея держать яхту в Испании папу никогда не посещала.

— Но это не значит, что он не мог бы ее купить.

— А мы точно о моем отце говорим? — нахмурилась я, а Берзинь засмеялся:

— Хочешь, изображай из себя Золушку, а я буду прекрасным принцем. Не могу сказать, что это моя любимая роль, но ради тебя я готов ее освоить. Так что с выходными?

— Велопробег по парку подойдет?

Он тяжело вздохнул:

— Спортивные состязания я люблю так же, как и роль принца, но... — он развел руками, — любой каприз...

Я весело фыркнула и тут увидела, как в кафе входит Илья Вяземский. В костюме, с потертым портфелем в руке, который придавал ему солидности. Он равнодушно оглядел небольшой зал и нахмурился, глядя на нас с некоторым недоумением.

— Только его здесь и не хватало, — пробурчал Берзинь и тут же расплылся в улыбке: — Привет служителю Фемиды. Как чувствует себя эта слепая дамочка?

— Отлично, — ответил Илья, переводя взгляд с Берзиня на меня. — Что надо от тебя этому типу?

Пока я прикидывала ответ, вновь вмешался Берзинь.

— Любовь и верность до гробовой доски, — глазом не моргнув заявил он.

— Не верь этому типу, он сам себе верит только по средам.

— Это тебе я обязан скверной репутацией? — скривился Лео. — Между прочим, последние пару дней я усердно борюсь с пороками, от них практически ничего уже не осталось.

— Черт бы тебя побрал, Лео, — всерьез разозлился Илья. — Анна, он делает это нарочно. Увидел нас вместе, а теперь из кожи вон лезет...

— Девушка ничем тебе не обязана, — перебил Берзинь. — Я правильно понял? Так какого хрена ты лезешь с претензиями?

— Ты ей не подходишь. Она такого счастья не заслужила, — произнося слово «счастье», Илья изобразил двумя руками кавычки. — Тебя могут терпеть только чокнутые бабы, такие же отмороженные, как и ты.

— Вяземский, это просто зависть, — хмыкнул Лео. — Все чокнутые бабы уже в прошлом, я встал на путь исправления, о чем успел сделать соответствующее заявление, ты, должно быть, прослушал.

— И теперь сидишь в кафе с моей девушкой в разгар рабочего дня, вместо того чтобы очередной миллион наживать, — сказал Илья, горя праведным возмущением.

— Девушка не твоя... а я успел поменять приоритеты. Мне куда важнее находиться здесь, тем более что в отличие от тебя миллионы зарабатывать я умею.

— Наслышан, как ты их зарабатываешь.

— Если тебе придет охота и дальше нарываться, отправишься к своей Фемиде с разбитой рожей.

— Дайте девушке слово сказать, — разозлилась я. — Заткнитесь оба. В данный момент вы мне одинаково несимпатичны. Можете продолжать в том же духе, а я, пожалуй, пойду.

Выполнить свое намерение я не успела. Входная дверь распахнулась, и в кафе появился мужчина лет шестидесяти. В костюме в полоску и с тем особым выражением на физиономии, которое бывает лишь у законников: помесь самодовольства и скуки. Он с удивлением воззрился на наше трио, а Илья, заметив его, поспешно поднялся.

— Добрый день, — протягивая вновь прибывшему руку, сказал он и пояснил, кивнув на нас: Встретил друзей...

Они заняли столик с табличкой «резерв» и начали неспешную беседу. Илья повернулся в нашу сторону лишь однажды, когда делал заказ, что позволило Берзиню ехидно заметить:

— Работа прежде всего.

— Зато ты молодец.

— Еще какой. Для любимой девушки готов на все.

— Познакомишь нас? — с серьезной миной спросила я, а он засмеялся.

— Представляю, что тебе успел наболтать обо мне этот тип... а я еще удивляюсь твоей недоверчивости.

— Я бы назвала это иначе: здравый смысл.

— О господи, скука какая: здравый смысл. Где твой романтизм, милая?

— Улетучился. Ладно, пойдем отсюда.

Берзинь расплатился, и мы поспешно покинули кафе.

— Прости, что этот тип испортил нам обед, — покаянно сказал он, когда мы уже были на улице.

— Оба хороши, — буркнула я. — Отвези меня домой.

— Но...

— Хорошо, вызову такси.

— Садись, — вздохнул он, распахивая дверь машины. — Аня, не стоит верить тому, что обо мне говорят. Я весьма заметный парень, о таких всегда много болтают. Давай я тебе сам все расскажу.

— Ты бы хоть подумал, на фига мне это счастье?

— В смысле?

— В смысле, слушать твои дурацкие рассказы.

Он, как видно, обиделся, потому что до моего дома ехал молча. Сначала это порадовало, но потом начало раздражать. Я вдруг подумала: если сейчас мы расстанемся, а завтра он не позвонит, это, чего доброго, станет серьезным испытанием.

Берзинь затормозил возле подъезда, вышел сам, помог выйти мне, достал букет с заднего сиденья и сунул мне в руки. Все это молча. Решив не препятствовать его похвальному намерению держать язык за зубами, я хмуро кивнула и пошла к подъезду, тут он вдруг ухватил меня за локоть, развернул к себе и поцеловал. Букет, который я прижимала к груди, мешал, Берзинь отобрал его и бросил на капот машины. Поцелуй вышел впечатляющим во всех смыслах. Прежде всего, по длительности, а еще по произведенному впечатлению, уж на меня-то точно.

Когда мы, наконец, отлепились друг от друга, я показала Берзиню кулак, предпочтя обойтись без лишних слов, сгребла букет с капота и пошла к подъезду.

— Нюська! — крикнул Лео, когда я уже входила в подъезд. — Ты самая классная девчонка в мире! Целуешься ты тоже классно.

— У меня огромный опыт, — съязвила я и поспешно скрылась за дверью.

Держа букет в обеих руках, бегом поднялась на свой этаж и, войдя в квартиру, немного поскакала на одной ноге, самой себе удивляясь: это меня от поцелуя так разбирает?

— Черт-те что, — вздохнула я и стала искать вазу, подошла зачем-то к кухонному окну и ахнула: Берзинь все еще был во дворе. Стоял возле своего джипа и разглядывал окна. Я открыла оконную створку и крикнула: — У тебя тачка сломалась?

— Нет, мне здесь медом намазали.

— Катись отсюда, не волнуй соседей.

— До завтра, красотка. — Он помахал рукой, сел в машину и наконец уехал.

— Кажется, я влюбилась, — с беспокойством прошептала я.

Некоторое очумение, вызванное поцелуем, длилось недолго, я напомнила себе, кто такой Лео, и порекомендовала не расслабляться.

Тут и объявился Илья, что было вполне предсказуемо. Для начала позвонил. Узнав, что я дома, обещал через полчаса подъехать и подъехал.

— Ты и Берзинь, — начал он с порога. — Нюська, ты не понимаешь, что это за тип. Согласен, он умеет произвести впечатление. Но за красивым фасадом скрыто весьма неприглядное... Он абсолютно аморален, жесток и коварен.

— Звучит как-то по-киношному. Злодей из Джеймса Бонда.

— Между прочим, я тебя люблю. И мне не безразлично твое будущее. Так вот, с Берзинем у тебя его нет. В прошлом году две девицы резали себе вены после того, как он их бросил.

— Что за странные фантазии.

— Он мастер по превращению чужой жизни в ад. Говорю абсолютно серьезно, потому что неплохо его знаю. — Тут Илья горестно вздохнул и спросил: — Он успел заморочить тебе голову?

— Я не особо влюбчива, тебе это должно быть известно.

— Любопытство сгубило кошку.

— Это ты сейчас о чем?

Илья устроился в кресле, поглядывая на меня с недовольством.

— Как адвокат могу сказать следующее: все начинается с малого. Тебе может казаться, что ты контролируешь ситуацию, но в действительности все довольно быстро выходит из-под контроля. Нюська, для того, чтобы Берзинь таскался по городу в твоей компании, должна быть серьезная причина. Извини, но она вряд ли имеет отношение к высоким чувствам. Скорее, все куда проще: например, желание досадить твоему отцу. Или еще хуже...

При этих словах под ложечкой противно засосало. Очень неприятно это сознавать, но Илюха, скорее всего, прав.

— Мы не слишком много говорим о нем? — сердито спросила я.

— Что-то мне подсказывает: с советами я уже опоздал.

Илья оставался у меня довольно долго, мы пили чай, а потом смотрели старую комедию по телевизору. От пессимистичных прогнозов Вяземский отошел, но все равно поглядывал на меня с беспокойством. Я хотела рассказать ему о встрече с Николаевым, но в последний момент передумала. В отличие от того же Берзиня с его мутными мотивами, Илья своей работой жертвовать не собирался, даже ввиду моего резкого оглупления с возможными последствиями в виде «навеки разбитого сердца». Это вызвало некую грусть и философские размышления. «Безумству храбрых поем мы песню» — это точно не про современных мужчин, — думала я. — Илюха хороший парень, но замуж за него я не пойду ни за какие коврижки. Даже если возникнет угроза остаться в старых девах. Не пойду, и все. Вряд ли он особо расстроится, хотя в самом деле меня любит. Но совсем не так, как мне бы хотелось».

Затем мысли плавно перетекли на Берзиня и вертелись вокруг него, пока я не уснула. Неудивительно, что он мне приснился. Сон был эротический. Давненько мне ничего подобного не снилось. Неужто на меня так поцелуй подействовал? Или я в самом деле влюбилась? Слишком все это... быстро. И неожиданно. Можно подумать, влюбляются после длительной подготовки.

С утра я бродила по квартире с чувством досады и легкого беспокойства. Душа металась между взаимоисключающими желаниями: избавиться от Берзиня раз и навсегда и, немедленно ему позвонив, под благовидным предлогом попросить приехать.

Вскоре он сам позвонил, прекратив мои мытарства.

— Ты дома? — спросил торопливо. — Я сейчас приеду.

Я не успела ответить, он уже отключился. Кинувшись в ванную, я стала приводить себя в порядок. А когда он позвонил, на этот раз в дверь, и я отправилась открывать, легкая небрежность в одежде и прическе намекали, что к его приходу я не готовилась, зато выглядела я неплохо, то есть, если без лишней скромности, выглядела я офигенно.

Берзинь наверняка решил так же, потому что, взглянув на меня, едва заметно вздохнул, маета в его физиономии читалась вполне отчетливо.

— Ты мне сегодня приснилась, — заявил он, едва переступив порог.

— Надеюсь, ничего неприличного? — нахмурилась я.

— Я плохо помню. Почти уверен, ты была целомудренна, а я глубоко несчастен.

— С чего вдруг?

— Слушай, ты обещала мне поцелуй. Даже два.

— Но не за просто так.

— У меня есть важные сведения.

— Валяй.

— А поцелуй?

— Мы же вчера целовались, — напомнила я. — Это был аванс. Выкладывай свои сведения, посмотрим, чего они стоят.

— Первая новость охренненная. Лопахина Анастасия Денисовна скончалась четыре года назад. За месяц до исчезновения твоей матери. Ее тело с ножевыми ранениями нашли под мостом. — Он замолчал, должно быть, ожидая реакции.

Эта новость была для меня не нова, но я на всякий случай изобразила смятение и работу мысли. Нахмурилась, уставившись в пол, и даже немного погрызла ноготь на указательном пальце, но решила не перебарщивать.

— И что ты об этом думаешь? — спросила, выдержав паузу, нарушать ее Берзинь не торопился.

— Убивать людей нехорошо.

— Согласна. А если по делу?

— Убийца не найден, — пожал он плечами. — Сомневаюсь, что его до сих пор ищут, ведь четыре года прошло... Девицу, кстати, похоронили безымянной, только потом родня обнаружилась.

— Вряд ли это может иметь отношение к исчезновению моей мамы.

— Честно говоря, не знаю, что и думать. Потому что есть вторая новость.

— Еще кого-нибудь убили? — насторожилась я.

— Надеюсь, что нет. Новость касается звонков твоей матери. За последние пару месяцев ей довольно часто звонили с одного номера. Она, кстати, тоже по нему звонила, и не раз, потому следаки и уделили ему особое внимание.

— Не тяни, — попросила я, начав беспокоиться.

— Номер мобильного был зарегистрирован на твою мать.

— Что? — не поняла я. — Она же не самой себе звонила?

— Думаю, им требовался номер для связи, а светиться ее приятелю не хотелось.

— Ты имеешь в виду Николаева?

Берзинь вновь пожал плечами:

— Может, и его, хотя Николаеву прятаться особого смысла нет. Он работал в фирме, готовил документы... даже если б на звонки вдруг обратили внимание, такая активность вполне объяснима. Нюська... — Он вроде бы прикидывал, стоит ли продолжать. — Это очень странно. Допустим, твоя мать боялась: муж узнает о ее любовнике... обычно, чтобы скрыть шашни, достаточно обозначить его в контактах каким-нибудь Иван Иванычем или Настасьей Петровной, а в их случае, как я уже сказал, и напрягаться не стоило. Но твоя мать обзаводится еще одним номером... Спрашивается: зачем?

— Понятия не имею, — честно ответила я. — Наверное, не хотела, чтобы этого человека вычислили.

— Кто его предположительно захочет вычислить? У кого вообще есть такие возможности?

— Например, у полиции?

— Это первое, что приходит в голову. Тогда сразу еще вопрос: твоя мать предполагала, что ее звонками заинтересуется полиция?

Я не знала, что на это ответить. Хотя догадки, конечно, были. Среди них самые невероятные. Мама берет у подруги ключи от квартиры, и вскоре там видят мужчину, который, по словам все той же подруги, на роль любовника не годится. Она оформляет на себя еще один телефон и передает его неизвестному, с которым они довольно плотно общаются. Вскоре под мостом находят труп девушки, любовницы моего отца, если верить слухам. Неизвестный мужчина исчезает из квартиры, а потом исчезает и моя мать. Жутковатый сценарий.

Тут я сообразила, что уже довольно долго мы играем в молчанку. Я рассматриваю пол под ногами, а Берзинь сверлит меня взглядом. Внезапно выражение его лица изменилось, он вздохнул и сказал устало:

— Нюська, может, тебе не нужно копаться во всем этом?

Еще минуту назад я думала так же, но стоило ему произнести эти слова, как все во мне такому намерению воспротивилось.

— Как я буду жить, если не узнаю правды? — сказала я. Вышло чересчур патетично, наверное, потому Берзинь поморщился.

— Счастливо, — ответил он ворчливо. И добавил, должно быть, желая отшутиться: — С твоим-то приданым — почти наверняка.

— Слышал выражение: не в деньгах счастье? — усмехнулась я, радуясь, что от первоначальной темы мы удаляемся все дальше.

— Да ладно. Тот, кто утверждает, что счастье не купишь, просто не знает, где оно продается.

— Боже, как скучно, — сморщила я нос.

— Скучно быть бедным, — хмыкнул он. — Возьмем наш случай. Будь я бедным парнем, шансы с тобой познакомиться сводились бы к нулю. Говорят, девушки не в силах устоять, когда за ними красиво ухаживают. Это правда?

— У выпендрежников с яхтами точно никаких шансов.

— Учту. Тебе по душе простой парень? Разориться куда проще, чем нажить миллионы. Хотя в моем случае придется все же постараться...

— Бедняжка. Какое же это мучение — куча денег, — скривилась я.

Берзинь шагнул ко мне и, взяв меня за локти, притянул ближе и теперь смотрел в глаза.

— Нюська, я бы предпочел, чтобы ты... подумала.

— О чем? — нахмурилась я.

— О том, стоит ли нам совать свой нос в дела твоих родителей? У каждой семейки в шкафу найдется парочка скелетов, это я знаю доподлинно. Далеко не все стоит вытаскивать на свет божий.

— Судя по затраченным усилиям, ты уверен: меня ожидает крайне неприятный сюрприз.

— Не уверен, но такую возможность допускаю. А так как ты, по неизвестной причине, стала вдруг мне бесконечно дорога... я бы предпочел избавить тебя от испытаний.

— Похвально. Но я из тех, кто доводит начатое до конца. — Должно быть, мне пришла охота побахвалиться, прозвучало ужасно самодовольно, и я покраснела от досады.

— Хорошо. Раскроем все тайны. Поцелуй-то я заслужил?

— Будешь приставать, пошлю к черту.

Он досадливо покачал головой, но меня отпустил. Я вздохнула с облегчением, но тут же подумала: «Мог бы и не спешить». Не спешить отпускать меня, надо полагать.

— Хочешь кофе? — предложила я.

— Из твоих рук — хоть мышьяк.

— С чего вдруг? Дождемся, когда ты сделаешь какую-нибудь гадость.

— Тогда беспокоиться не о чем.

Мы прошли в кухню, я стала готовить кофе, Лео вызвался мне помогать, в результате все сделал сам.

Кофе получился отличный, что ненадолго примирило с действительностью. Допив его, я спросила, отодвигая чашку:

— Так что ты думаешь по поводу всех этих... странностей? — с трудом нашла я подходящее слово.

— Ничего, — проворчал он. — Слишком мало фактов, чтобы строить версии.

— Значит, следует заняться сбором информации, — кивнула я. — Есть идеи?

— Вообще-то я бизнесмен, а не следователь.

— Правильно. Тогда какого черта здесь сидишь?

Он зло фыркнул и покачал головой:

— Ну и характер.

— Тебе следовало обратить внимание на другую девушку, у которой нет проблем.

— Меня не интересуют другие девушки. Ладно, предлагаю навестить хозяйку квартиры, где жила Лопахина. Сомневаюсь, что она раскроет все тайны, учитывая, что следаки ее допрашивали, но чем черт не шутит.

— Ее имя и адрес мы сможем узнать?

— Уже, — проворчал он.

— Оперативно.

— У меня в запасе всегда два сценария развития событий.

— Плохой и хороший?

— Плохой и очень плохой. Поехали.

Хозяйку звали Ирина Алексеевна, она жила в частном доме в старом городе. По дороге Берзинь позвонил ей, представился и попросил о встрече. Согласие получил подозрительно легко.

Мы остановились возле палисадника с кустами роз, калитка в железных воротах открылась, и появилась женщина лет пятидесяти, обесцвеченные волосы с химической завивкой, длинный нос, он постоянно дергался, точно она принюхивалась, настороженный взгляд и улыбка, которую так и хотелось назвать лицемерной. В общем, тетка мне не понравилась. Тощий зад обтягивали легинсы, которые подошли бы девушке втрое моложе, высокие каблуки, глаза Клеопатры и яркая помада.

— Леонид Александрович! — заголосила тетка и приветственно помахала рукой.

Прием чересчур теплый, это вызывало недоумение. Чуть позже причина подобной демонстрации дружелюбия стала ясна. А пока Берзинь подошел к Ирине, поздоровался, протянув ей руку, она схватила ее двумя руками и долго трясла, не выпуская. Лео, должно быть, это надоело, и он решил переключить ее внимание на меня.

— Знакомьтесь, это Анна. Моя девушка, — глазом не моргнув, соврал он.

— Очень приятно, — едва взглянув на меня, кивнула тетка. — Проходите в дом.

Вслед за ней мы вошли в калитку и оказались в премилом дворике. Слева площадка для машины, а дальше буйство роз, шпалеры с диким виноградом, стол и стулья на металлических ножках и даже самовар, из трубы которого вился дымок.

— Можем в доме устроиться или лучше здесь? На свежем воздухе?

Берзинь согласно кивнул, нас усадили к самовару, хозяйка исчезла в доме и вскоре вернулась в сопровождении девицы лет двадцати пяти, такой же длинноносой. У обеих в руках были подносы. На столе появилось варенье, конфеты и даже пироги.

— Дочка моя, Любаша, — кивнув на девицу, сообщила Ирина Алексеевна.

Любаша скоренько удалилась с пустыми подносами, а Ирина стала разливать чай.

— Папа ваш — Александр Николаевич? — передавая Лео чашку, сладчайшим голосом спросила она.

— Да, — вроде бы насторожился Лео.

— Зять мой у него работает. У вас. Хорошев Юрий.

— Вот как... — Вряд ли Лео вспомнил Хорошева, но выдал лучшую из своих улыбок.

— Повышения ждет, — добавила она и вновь дернула носом.

— Об этом можете не беспокоиться, — сказал Берзинь, а я вздохнула с облегчением, уверенная в том, что хозяйка ничего от нас не утаит. Главное, чтобы от избытка энтузиазма лишнего не напридумывала.

Мы сделали по глотку чаю, и Берзинь заговорил:

— Нас очень интересует девушка, которая снимала у вас квартиру четыре года назад. Лопахина Анастасия.

— Так убили ее... — сказала Ирина.

— У нас есть повод считать, что ее убийство связано с другим преступлением. — Я испугалась, чего доброго, он начнет рассказывать про мою мать, но Берзинь продолжил: — Которое напрямую касается нашей фирмы. — При этих словах тетка замерла, а потом дважды кивнула. — Буду благодарен, если вы расскажете все, что вам известно об этой девушке.

— Да ничего мне не известно, — в крайней досаде молвила Ирина. — Знать бы, что такое дело, уж всю бы подноготную выведала. А так... заселилась девица... ни рыба ни мясо, говоря между нами. Деньги вперед отдала, ну я ее зря-то и не беспокоила. Позвоню, «все нормально?». И до свидания. Соседка за ней приглядывала, ну чтоб сборищ не было, пьянок-гулянок и прочего. Но девка тихая оказалась. Соседка не только что гостей, ее саму и то редко видела. Мне и в радость: проблем нет, деньги заплачены. Чего еще надо? А потом, бац!.. и пропала. Сразу и проблемы подоспели. Менты, прошу прощения, всю душу мне вымотали. Еще и налог пришлось платить на полученную прибыль. Уж такая прибыль, я вам скажу. Пенсии, на которую жить можно, от них не дождешься, а налог-то заплати...

К тому моменту я была уверена: мы зря тратим время. Ничегошеньки тетка не знает. Я выразительно взглянула на Берзиня, тот продолжал пить чай. Тетка сделала паузу, а он спросил:

— Девушка живет себе тихо, а потом ее раз — и убили. Неужто за все время ничего любопытного не произошло?

Он глянул исподлобья, и тетка начала ерзать. Надо сказать, смотреть он умел. Если его улыбка перед этим сулила зятю повышение, то взгляд скорее говорил о близких лишениях. Перемену Ирина вмиг уловила, оттого и ерзала.

— Кое-что, конечно, было, — нерешительно произнесла она. — Только вот... неприятности мне ни к чему, Леонид Александрович, а тут такое дело: убийство. Слава богу, что не в моей квартире, но все равно... в общем, следователю я ничего не рассказывала.

— И правильно. Но я не следователь.

— Ага, — кивнула Ирина. — Прихожу я однажды... квартиру проверить, жиличку беспокоить не собиралась, думаю, зайду к соседке да и спрошу что к чему. Ее квартира как раз напротив моей. И тут дверь открывается, и мне навстречу баба летит. Вся такая... на нервах. Меня даже не заметила.

— Эта женщина вышла из вашей квартиры? — уточнил Лео.

— Точно. Только не вышла, пробкой вылетела. Такой ее колотун бил, мама не горюй. Она вниз, и я за ней. Она во двор выскочила и принялась ходить туда-сюда. А я за ней наблюдаю, уж очень она нервничала, вот любопытство во мне и взыграло. Набегалась она вволю, видать, успокоилась. Села в машину и уехала.

— Что за машина? Номер не запомнили? — спросил Берзинь.

— Да не разбираюсь я в машинах этих, и номер мне ни к чему. Но машина дорогая, это я и так пойму, без всяких марок да названий. Добротную вещь определю на глаз, кой-чего в жизни повидала. Отец мой, царство ему небесное, при советской власти в больших начальниках ходил. И одета дамочка была шикарно. Ну я два и два сложила и решила: должно быть, жиличка моя с мужем этой бабы шашни крутит. Выждала малость — и к ней. Вроде как узнать, все ли в порядке. Она дверь открывает, смотрю, глазки бегают, и от меня не чает как избавиться. Ага, думаю, угадала. Наверняка девка богатенького отхватила. Я ей «всего хорошего» — и к соседке. Давай пытать, кого видела да что слышала. Про бабу эту рассказывать не стала, у соседки язык точно помело, а жиличке вредить не хотелось, где еще такую найдешь. Тихая и платит вперед. Соседка клялась и божилась, что никого не видела. Потом, правда, вспомнила: столкнулась как-то с мужиком в подъезде. Солидный мужик. В нашем доме таких не водится. Он буркнул «здравствуйте» и от соседки отвернулся, не хотел, чтобы она лицо его видела. Мужик не старый, но и не молодой. Как раз бы этой бабе, что на машине уехала, в мужья бы подошел.

Ирина замолчала и принялась потчевать Берзиня. Тот от угощений отказался и спросил с намеком на разочарование:

— Это все?

Было заметно, как тетка бьется над нелегким вопросом: продолжать или нет? Алчность победила.

— Я бабу-то хорошо запомнила. Лицо у нее такое... холеное. Красивая женщина, хочу я сказать. И вдруг вижу: ее по телевизору показывают.

— По телевизору? — усомнился Берзинь.

— Ага. Показывают фотографию и говорят: «Ушла из дома и не вернулась». Я на следующий день к жиличке. Да дверь никто не открыл. Уж потом-то ясно стало, она к тому моменту месяц как в покойниках, а я, грешным делом, подумала: может, они с любовником бабу-то того... чтоб счастью их не мешала.

— Значит, следователю вы об этой женщине не рассказывали?

— Грешна, промолчала. Да и что толку? Кому мои слова помогут? Одна пропала, другую зарезали... жуть какая. — Тут она торопливо перекрестилась.

Берзинь вновь взглянул исподлобья и заявил:

— Вам лучше быть до конца откровенной.

— Фамилия этой женщины Гришина, Татьяна Витальевна. За любые сведения о ней вознаграждение обещали.

— И вы не сообщили о ней в полицию? — влезла я, тетка взглянула на меня с недовольством и тут же повернулась к Берзиню, она тянулась к нему, как цветок тянется к солнцу.

— Сообщили? — спросил Лео, судя по всему, его одолевали сомнения, что она в самом деле обратилась в полицию. Хотя деньги должны были сыграть решающую роль.

— Нет, — покачала головой Ирина в некоторой нерешительности. — Я не хотела иметь ничего общего с этой историей. И эту Гришину всего один раз видела... Могла ошибиться... Но потом по телевизору опять объявили... про вознаграждение. Муж, а вовсе не полиция.

— И вы ему позвонили? — нетерпеливо задала я вопрос.

На этот раз она на меня даже не взглянула.

— Позвонила по телефону, который на экране был. Просто чтоб узнать, что к чему... Ну и сказала, что видела эту бабу в такое-то время по такому-то адресу. Сначала они даже не особо заинтересовались. Оно и понятно, я ведь видела ее задолго до того, как она пропала. А потом мне позвонили, на следующий день. Муж этой Гришиной. Приехал ко мне и долго выспрашивал. Только не особо я что рассказать могла.

— Денег дал? — спросил Берзинь.

Ирина кивнула:

— Дал. Куда больше, чем мой рассказ стоил. И намекнул, чтоб я об этом помалкивала.

— То есть он не хотел, чтобы в полиции об этом узнали? — уточнил Лео.

— А кому еще я сказать могла? Ясное дело, не хотел он, чтоб о его шашнях знали. Я б, ей-богу, решила: они с жиличкой моей жену того... чтоб не мешала, да по времени не сходилось. Может, он, конечно, от обеих избавился, но я не особо в это верила. Если честно, мужик-то мне понравился. И видно, что переживает очень. В общем, ничего я в этой истории не поняла. — Тут она замолчала, выразительно глядя на Берзиня.

— Это все? — с сомнением спросил он. Некоторое разочарование в голосе прозрачно намекало: для продвижения зятя по службе этого маловато.

С полминуты Ирина молчала, на лице читалась борьба чувств. «Как бы она врать не начала», — подумала я с неприязнью.

И тут она вновь заговорила:

— Записка была. Я Гришину обещала про нее молчать, но вам скажу.

— Какая записка? — нахмурился Берзинь.

— Еще до того, как бабу эту первый раз по телевизору показали, я к жиличке зашла. Я уж потом высчитала, было это примерно через неделю после ее убийства. Позвонила, дверь не открывают. У меня, само собой, свои ключи. Ну я и зашла. Уж очень интересно было догадки свои проверить, насчет любовника богатого. Никаких мужских вещей в квартире не видно. Только жиличкины. Не похоже, что с ней еще кто-то жил. Барахлишко у нее скромненькое, шубы и той нет, не подумаешь, что богатого подцепила. Короче, ничего интересного. Я уж уходить собралась, заглянула в кухню, а на столе записка: «Забудь сюда дорогу».

— И все? — спросил Берзинь.

— И все. Три слова. Без подписи. Понимай как хочешь. Я даже подумала, может, жиличка мне ее оставила, мол, я без нее прихожу да проверяю... Позвонить ей хотела и напомнить: я — хозяйка, и проверять мне положено. Но потом решила не связываться.

— Записка была от руки написана? — уточнил Лео.

— Нет. Напечатана. Крупными такими буквами.

— А когда вы в следующий раз заходили в квартиру, записку видели?

— В следующий раз я в квартиру зашла через полтора месяца. Срок подходил, жиличка о деньгах молчит, на звонки не отвечает. Я и пошла. Думаю, вечером появиться должна. В квартире порядок, только пыли кругом на два вершка. Ну, думаю, съехала шалава. Деньги заплачены, но по-людски предупредить-то надо. Сунулась в шкаф — вещи на месте. Чудеса, думаю. Я к соседке, а та: я, говорит, чего-то давно твою жиличку не видела. Соседка, правда, в санатории была, а до этого у матери... Я еще два дня подождала, а как срок оплаченный кончился, пошла в полицию. Звонила ей эти дни беспрестанно, мобильный отключен. И в квартиру, само собой, заглядывала. Видно, что никого там после меня не было. В общем, пошла в полицию, а жиличку, оказывается, уже ищут. Родня всполошилась. Искали ее по старому адресу, а новый, видишь ли, не знал никто. Та еще семейка. Я как узнала, что труп аж в марте нашли, прям побелела. Сколько времени, а никому и дела нет.

«Столько времени квартира пустовала, — неприязненно подумала я. — Могла еще раз сдать».

— А когда вы пришли и обнаружили отсутствие жилички, записки на столе не было?

— Не было, — кивнула Ирина. — Я чего подумала-то: испугалась она этой записки и сбежала. Но вещи на месте, а без вещей не сбежишь.

— Однако получается, кто-то ей угрожал?

— Получается, — развела она руками.

— И вы не сообщили об этом следователю?

— Да я с перепугу о записке забыла. Сами подумайте: пошла в полицию сообщить, что вещи есть, а жилички нет, и вдруг такое дело: ее родня ищет, а она сама уже давно на кладбище. Столько на меня свалилось разом... Просто вылетела из головы эта записка. А когда вспомнила про нее, решила не соваться. Только все утихло, и по новой с допросами-вопросами. Нет уж, хватит.

— Когда вы увидели записку, Лопахина была уже мертва, — начал рассуждать вслух Берзинь, — а когда вы пришли в квартиру во второй раз, записка исчезла. Выходит, в этот временной промежуток в квартире кто-то побывал.

— Выходит.

— И кто это, по-вашему?

— Как кто? Жиличкин хахаль. У него, поди, ключи-то были. Да и денег он мне не зря дал, чтоб помалкивала.

— А кто записку оставил?

— Уж этого я знать не могу. Может, жена его. А может, еще кто. Но я думаю, это жена. Небось ключи у него взяла по тихой и сюда. Думала напугать. Не его, так ее. Иногда, если напугать как следует, то и разбегутся. Семья в целости останется. На что только некоторые не идут, чтоб семью сохранить, и правильно. Одной-то не сладко, даже с большими деньгами, а без денег вообще беда. Я уж так за дочку рада, что у них с мужем все хорошо... Она у меня умница, да и зять молодец. Старательный. И такой ответственный, в выходной и то о работе думает.

Следующие минут десять она развивала тему «прекрасного зятя», Берзинь взглянул на часы и заявил, прервав очередной пассаж:

— Спасибо вам за помощь. И за чай.

— Что вы, — запричитала Ирина. — Вам спасибо, что не побрезговали...

От ее сладкого голоса у меня начиналась изжога, и я поспешила покинуть гостеприимный дом.

Мы сели в машину и уже отъехали на значительное расстояние, а Ирина все еще стояла возле калитки и махала нам вслед.

— На редкость противная баба, — не удержалась я.

— Между прочим, нам повезло, — заметил Берзинь.

— Ты имеешь в виду ее зятя? Да уж... сомневаюсь, что она бы заговорила, трудись он в другом месте.

— Заговорила бы. Деньги, как правило, неплохо развязывают язык.

— Не слишком ли большое значение ты им придаешь? — съязвила я.

— Не слишком, — покачал он головой. — Просто ты из тех, кто понятия не имеет, каково это — жить без денег.

— Можно подумать, что ты имеешь понятие.

— Я, по крайней мере, не морщу презрительно нос, а знаю им цену.

— Отлично. Я избалованная папина дочка, которая презрительно морщит нос... извини, — буркнула я, отворачиваясь, вовремя сообразив, как глупо себя веду: мы едва знакомы, а я пытаюсь закатить скандал.

— Ни в чем себе не отказывай, — усмехнулся он, но тут же заговорил серьезно: — Ты сейчас на кого злишься?

— Я не злюсь, — отрезала я.

Берзинь затормозил, найдя подходящее место, и повернулся ко мне.

— Давай обсудим, — сказал он. Я смотрела прямо перед собой, он терпеливо ждал ответа, я не оборачивалась, упрямо тараща сь в лобовое стекло, чуть наклонившись вперед. Он убрал волосы с моего лица, пальцы его обожгли щеку, точно огнем. — Я ведь предупреждал, — вздохнул он, убирая руку. — Картинка в самом деле складывается неприглядная...

— Что ты имеешь в виду? — Само собой, я знала, что он имеет в виду, боялась заговорить об этом первой, вот и предпочла услышать это от него. Но он решил не торопиться и начал издалека.

— Скорее всего, исчезновение твоей матери напрямую связано с этим убийством.

— Интересно как?

Он покосился на меня и пожал плечами, а я сказала:

— Продолжай, продолжай.

— Давай подумаем, кто мог оставить записку.

— Для начала не худо бы узнать, кому она предназначалась.

— Зависит от того, когда она написана: до убийства Лопахиной или после. На этот счет никакой определенности.

— Ирина сказала, что записку обнаружила примерно через неделю после гибели квартирантки. К тому же, если бы она предназначалась девушке и та ее видела, вряд ли бы оставила на столе. Разорвала или убрала куда-то...

— Значит, предназначалась она ее любовнику.

— И кто эту записку оставил? Моя мать?

— Возможно, — кивнул он. — Она знала об интрижке твоего отца и этой девицы, говорить с мужем не решилась, боясь, что отношения после этого вконец испортятся, вот и оставила записку, в надежде, что это заставит его быть осмотрительнее.

— Отец мог обо всем узнать от своей любовницы, ведь мать приходила к ней.

Берзинь вновь пожал плечами.

— Возможно, он тоже предпочел молчать. Твоя мать была в квартире, значит, либо сама следила за мужем, либо кого-то наняла. И этот кто-то раздобыл ключи. То, что текст записки напечатан, вполне объяснимо: твой отец наверняка узнал бы почерк жены.

— Наверняка, — усмехнулась я. — Очень мило, что ты бережешь мои нервы и не говоришь главного. Записку мог оставить убийца. Тогда и проблем с ключами не возникло. Они, скорее всего, лежали в сумке девушки. Лицо жертвы было обезображено. Убийца не хотел, чтобы ее опознали?

— На это он мог рассчитывать только в том случае, если был уверен: в ближайшее время никто девушку искать не будет. У нее здесь ни родственников, ни друзей...

— Значит, она вовсе не была случайной жертвой.

— Наши догадки пока мало чего стоят, — заметил Берзинь.

А я усмехнулась:

— Давай я скажу то, что не решаешься сказать ты. У моей матери был повод ненавидеть эту девушку и даже желать ей смерти.

— Повод был, но это вовсе не значит, что убила она. Прежде всего, убить человека ножом не так просто. Даже если ты сильно его ненавидишь. Твоя мать не спецназовец...

— Моя мать имела деньги, ей вовсе не обязательно убивать самой. — Тут я вновь подумала о неизвестном, который жил в квартире подруги матери. — Есть только одно «против», что перевешивает все «за»: это совершенно не похоже на мою маму. Она могла страдать, ненавидеть... что угодно могла... но не убить...

— Наберись терпения, и в конце концов мы во всем разберемся. — Берзинь обнял меня и привлек к себе, и тут у меня зазвонил мобильный.

Любовной сцены не получилось, потому что я полезла в сумку за телефоном. Звонил отец. Это почему-то напугало, какое-то время я прикидывала: отвечать или нет, — и, наконец, ответила:

— Да, папа.

Голос отца звучал привычно ласково, и я понемногу начала успокаиваться. Папа спрашивал, где я, сообщил, что сегодня решил закончить работу пораньше, и просил заехать к нему. Я сказала, что буду примерно через час, и убрала телефон.

— Что он хотел? — спросил Берзинь.

Меня неприятно поразила его интонация, точно речь шла об общем враге.

— Закончил работу пораньше, хочет увидеться, — пожала я плечами.

— Чепуха. Он уже знает, что ты затеяла, и ему это не нравится. А когда выяснит, кто тебе помогает... не удивлюсь, если тебя запрут в твоей детской.

— Не говори глупостей, — отмахнулась я. — Отвези меня домой.

— К тебе или к нему?

— Ко мне.

— Надеешься сохранить в тайне факт нашего знакомства?

— Чего ты добиваешься? — разозлилась я.

Берзинь тут же пошел на попятный:

— Я подожду возле его дома... ты встретишься с отцом, и я тебя отвезу...

— В таком случае ждать тебе придется хренову тучу времени... — И тут до меня дошло. Я таращилась на Лео в полном обалдении и не сразу смогла произнести: — Ты что... ты думаешь... да ты спятил...

— Я просто не хочу, чтобы ты вдруг исчезла. Как твоя мать.

Удар ниже пояса. С полминуты мы смотрели в глаза друг друга, гнев боролся во мне со страхом, что Берзинь может оказаться прав, ведь ему эта мысль не в пьяном угаре явилась, он сделал вполне логическое заключение... Любые факты можно трактовать по-разному. Или почти любые... Я знаю своего отца и никогда не поверю, что он способен... А Берзинь не знает.

Я продемонстрировала кулак и сказала со всей серьезностью:

— Не смей.

Он тяжко вздохнул и отвел глаза. До моего дома ехали молча. Лео хмурился и старался на меня не смотреть. Я мысленно готовила гневную отповедь и уже хотела произнести ее вслух, но почти сразу поняла: у него на мои доводы найдутся свои, и еще вопрос, какие из них покажутся серьезнее. В общем, возле подъезда я выпорхнула из машины, буркнув:

— Пока.

Он тоже вышел и сказал, когда я уже входила в подъезд:

— Обещай, что позвонишь.

Я кивнула, поспешив закрыть за собой дверь.

Папу я нашла на веранде. Он сидел в кресле-качалке с книгой в руках, но не читал, а смотрел куда-то вдаль. Может, следил за облаками. Я подошла и поцеловала его. Он улыбнулся, похлопывая меня по руке.

— Знаешь, дочь, ты стала настоящей красавицей. А я и не заметил, как выросла моя маленькая девочка.

— С детьми всегда так, — засмеялась я.

— Наверное. Остается только надеяться, что я не самый плохой отец на свете.

— Ты — самый лучший. Что-нибудь приготовить?

— Холодильник забит едой, Светлана Петровна, должно быть, вознамерилась раскормить меня до центнера. К тому же я перекусил на работе...

— Я тоже. Папа, что-нибудь случилось? — не выдержала я.

— Глупо было хитрить, — покачал он головой. — Ты знаешь меня даже лучше, чем я сам себя знаю.

— Начало настораживает. — Я села в кресло, поближе к отцу, а он взял меня за руку.

— Мне звонил Илья, — произнес он, точно извиняясь.

— Придурок, — не удержалась я.

— Надеюсь, это ты о своем друге, а не о родном отце? — засмеялся папа, и стало ясно: он пытается избежать серьезного разговора, в смысле, тягостного для нас обоих. Куда предпочтительнее легкая задушевная беседа.

— Конечно, о нем. Что он тебе наболтал?

— Сказал, что ты встречаешься с Лео Берзинем. Он это выдумал?

— Между прочим, он нас и познакомил.

— Довольно опрометчиво с его стороны, как выяснилось.

— Он что, вздумал ревновать? Это смешно, папа. Мы с Илюшкой знаем друг друга всю жизнь и не прочь немного подыграть, когда вы заводите песню под названием «породниться», но... Он для меня подружка. А за подружек не выходят замуж. Это противоестественно.

— Согласен. А что у тебя с Берзинем?

— Ничего, — пожала я плечами, — он оказывает мне знаки внимания, я их принимаю. Каждый из нас считает, что другой относится к этому куда серьезней. Это вроде игры.

— Берзинь не тот человек, с кем следует играть.

— О его репутации мне известно. Именно поэтому игра доставляет определенное удовольствие.

— Иногда игра слишком увлекает... Человек просто теряет голову.

— Искренне верю, но это не мой случай.

— Все равно я беспокоюсь. Такие типы притягивают женщин. Обаяние зла...

— Лучше скажи, чем эти Берзини нам досадили.

Отец махнул рукой, точно данная тема моего внимания не заслуживала.

— И все же?

— У этой парочки нет слова «конкурент». Человек, который перешел им дорогу, тут же становится врагом. С ним надо вести беспощадную войну и стоять насмерть. Бред. В бизнесе всякое бывает, с чем-то приходится смириться, где-то уступить. Но для этих типов подобное равносильно смертельному оскорблению.

— Которое враг может смыть только кровью? — усмехнулась я.

— Вот-вот. По сути, никакого повода для вражды не было, но они-то считали по-другому. Благодаря их усилиям все зашло так далеко, что теперь мы и правда враги.

— Это опасно? — нахмурилась я.

— Это мешает бизнесу, а что касается опасности... говоря откровенно, этих двоих вряд ли что остановит, но они не идиоты. Их причастность была бы слишком очевидна. А вот коварства обоим не занимать, поэтому меня так беспокоит внезапный интерес к тебе.

— Буду держать ухо востро, — засмеялась я.

— Надеюсь, — кивнул отец и добавил точно с неохотой: — Они способны на любую подлость. Я был бы признателен, держись ты от него подальше.

Я вынуждена была согласиться с безусловной правотой отца. Зачем, в самом деле, тратить время на подобного типа? Проблема в том, что Лео успел-таки оставить след в душе, и меня тянуло к нему, как мух на сладкое. Но папе об этом лучше не знать.

Мы расстались часа через два, папа заметно приободрился, а мне реветь хотелось. Как не вспомнить бедняжку Джульетту, у нее любовь, а родня со своей глупой враждой лезет. Однако девушке сомневаться в своем избраннике не приходилось, а вот Лео верным рыцарем уж точно не был. Хотя прикидывался, и вполне успешно. Короче, душу мою терзали противоречия. И отца огорчать не хотелось, и к черту Лео посылать тоже, но веры в его искренность не было никакой, так что выходило: лучше послать, это я и вознамерилась сделать.

Глубокие размышления, когда я возвращалась домой, не способствовали особому интересу к окружающему, но, бросив взгляд в зеркало заднего вида, я вдруг обнаружила машину Берзиня. Держась на приличном расстоянии, он тащился следом. Я рванула в ближайший переулок и принялась петлять по городу. «Рендж Ровер» то исчезал из вида, то появлялся вновь. Вопрос, кому из нас все это скорее надоест. Лео не выдержал первым. Мобильный ожил, и я, достав его из сумки, мстительно улыбнулась.

— Ты обещала позвонить, — сказал Берзинь.

— Забыла, наверное.

— Какого лешего ты мечешься по городу?

— У меня аналогичный вопрос.

— Я озабочен твоей безопасностью.

— А я забочусь о том, чтобы тебе не скучно было.

— Тормози. Поговорим.

— Говорили уже. Сколько можно?

Тут мне повезло, проходящий трамвай ненадолго отрезал меня от Лео, этого времени хватило, чтобы проходными дворами выехать на проспект. Знакомой машины в зеркале так и не возникло. Тут же зазвонил мобильный, но отвечать на звонки Берзиня я не стала, хотя он не давал мне покоя часа полтора. Телефон в результате пришлось отключить, а я отправилась в кино, опасаясь, что Лео будет поджидать меня во дворе дома. Может, он и поджидал, но к моменту, когда я там появилась, успел утомиться и убрался восвояси. Однако поздравить себя с победой я не спешила. Прежде всего потому, что понимала: вряд ли Лео так легко отступится. К тому же я была бы очень разочарована, разозлись он и пошли меня подальше. Сплошной клубок противоречий.

Утром я собиралась на работу, когда позвонил Берзинь. Отвечать я не стала, но квартиру спешно покинула, боясь столкнуться с ним во дворе. Если и выяснять отношения, то лучше в офисе, там и он, и я будем сдержаннее.

Дверь подъезда захлопнулась за мной в тот момент, когда машина Лео сворачивала во двор, а мобильный издал характерный писк, сигнализируя об очередном СМС. Я не сомневалась, что сообщение от Берзиня, и не намеревалась его читать, раз уж сам адресат маячит на горизонте, но на дисплей по привычке взглянула. Высветился незнакомый номер. Текст сообщения заставил меня замереть на месте. Я тупо таращилась на телефон, знакомые буквы точно отказывались складываться в слова. Может, я просто надеялась: у них есть какой-то другой смысл.

«Дочка, помоги, он держит меня взаперти».

— Что за дерьмо, а? — пробормотала я, и тут рядом с собой обнаружила Лео.

— Что? — резко спросил он и забрал мобильный из моих рук.

Только через несколько секунд после этого я запоздало подумала: с какой стати я ему это позволила? Берзинь пробежал глазами текст, обнял меня и зашептал:

— Спокойно, спокойно... еще вопрос, кто это написал.

— Да пошел ты... — Я попыталась вырваться, но он только крепче сжимал меня в объятиях.

Наконец дергаться мне надоело, и я спросила сквозь зубы:

— Ты ребра мне решил сломать?

Он ослабил хватку и сказал:

— Видела бы ты свое лицо.

А я усмехнулась.

— Принцесса превратилась в лягушку?

— Это я уж как-нибудь переживу. Ты выглядишь насмерть перепуганной.

— У меня вроде повод есть.

— Кто угодно мог послать эту хрень. — Он разжал руки и отступил на шаг, следя за мной взглядом, словно всерьез опасался, что я могу разбиться от малейшего дуновения ветерка.

Берзинь кивнул в сторону скамейки, в это утро пустующей, редчайший случай для нашего двора. Малость замешкавшись, я направилась к ней, села, тут же почувствовав облегчение, видно, ноги не особо держали. Берзинь сел рядом, мой мобильный он все еще держал в руке.

— Почему бы не позвонить? — спросил он, с сомнением глядя на меня, а я подумала: письмо по электронке отследить было невозможно, в этот раз скрыть номер не пытались.

Я нетерпеливо схватила телефон и нажала кнопку вызова. Веселый латиноамериканский мотивчик вместо гудков. «Неужели я сейчас услышу мамин голос?» — испуганно подумала я и вместе с тем надеялась на это.

— Да, — голос был мужской, хрипловатый.

Вопреки всякой логике я вздохнула с облегчением.

— Простите, вы только что прислали мне СМС.

— Что? А... это не я... В смысле, не я присылал, хотя мобильный мой. А в чем дело? — Более идиотского вопроса и придумать трудно, но он еще добавил: — Что-нибудь не так?

«Да все не так, мать твою», — чуть не заорала я, но Берзинь успел забрать у меня телефон.

— Мы могли бы встретиться? — задал он вопрос и включил громкую связь, чтобы я слышала их разговор.

— Зачем? — насторожился мужчина.

— У нас есть вопросы, и я готов заплатить за потраченное время.

— Слушайте, я ничего не знаю, я вообще ни при чем, я просто дал свой мобильный. Это что, преступление?

— Конечно, нет. Но... СМС написала женщина, которую мы разыскиваем уже много лет. Не только мы, но и полиция. И если мы не договоримся...

— Понял, — зло перебил мужчина. — Вот и делай добрые дела после этого. Куда подъехать?

Берзинь предложил встретиться на парковке супермаркета, неподалеку от моего дома. Мужчина обещал быть там через двадцать минут.

— Поехали, — возвращая мне мобильный, сказал Лео.

За это время я успела успокоиться, по крайней мере, настолько, чтобы не вопить на всю улицу, и понемногу начала соображать.

Мы направились к его машине, а я с мрачной усмешкой подумала: как быстро я забываю данные обещания.

— Ты в самом деле думаешь, что это твоя мать? — помогая мне сесть в машину, спросил Лео, в голосе сомнение.

— Не знаю, что и думать, — ответила я со злым смешком. — Кто-то со мной играет. Не ты, случайно?

— После разговора с отцом твоя подозрительность достигла размеров паранойи. Что он тебе сказал: держись от него подальше?

— Неожиданное предложение, правда?

— Нюська, меня не интересует твой отец, меня интересуешь ты. Мой старик тоже в восторг не пришел, когда я сказал ему об этом, но, по крайней мере, не требовал, чтобы я выбросил тебя из головы. В конце концов, их дурацкая вражда — не наша с тобой проблема.

— К чему ты все это говоришь?

— Не отвергай мою помощь. Я все больше убеждаюсь — она тебе понадобится.

— Знаешь, сейчас меня куда больше волнует другое... — покачала я головой.

— Обещай, что твоя вчерашняя выходка не повторится. Я едва не спятил, представляя, что может случиться, пока ты в одиночку раскатывала по городу. Да еще с выключенным мобильным.

— Пытаешься убедить меня, что я в смертельной опасности?

— Вот уж не знаю. Вполне вероятно, что твоя мать в эту самую опасность тоже не особо верила. Напомнить, что было дальше? Короче, еще раз выкинешь подобный номер — я приставлю к тебе круглосуточную охрану.

— С какой стати ты здесь командуешь? — возмутилась я, но ответа на этот вопрос не услышала.

Мы въехали на парковку. Найдя свободное место, Берзинь, заглушив двигатель, покинул машину

и теперь мерил шагами узкое пространство до тротуара.

— Наглец, — пробормотала я, следя за ним
взглядом.

Он на мгновение исчез из поля зрения и появился вновь. Красивый, сосредоточенный и хму-
рый. А я честно призналась самой себе, что не хочу
думать о нем плохо. Что бы там ни говорили другие. Типичный подход глупых девиц: «Я знаю, он
не такой». Потом слезы, сопли и разбитое сердце.
Я вдруг заревела, сама толком не сознавая причину этих слез. Похоже, жизнь становилась чересчур
насыщенной, и нервная система с этим не справ-
лялась.

Тут в досягаемой близости появился старенький
«Фольксваген», а у меня зазвонил мобильный. Я по-
спешно выбралась из машины и помахала водителю
«Фольксвагена» рукой.

Из автомобиля вышел мужчина лет тридцати
пяти и направился к нам. На нем был рабочий ком-
бинезон и оранжевая кепка, из-под которой в разные стороны торчали рыжие волосы, из-за этого он
был похож на клоуна. Лицо курносое, добродушное,
сейчас выглядело скорее недовольным. Или встре-
воженным.

— Это вы звонили? — спросил он, обращаясь к
Лео, взглянул на меня и поздоровался кивком. —
Я вам уже сказал: я понятия не имею...

— Расскажите нам об этой женщине, — перебила я.

Мужчина пожал плечами, сунул руки в карманы комбинезона и заговорил голосом человека, ко-

торый по доброте душевной согласен развлечь нас рассказом, хоть и считает это глупой блажью:

— Мы вешали рекламный щит на Малой Покровской, уже заканчивали работу, когда подошла женщина и попросила мобильный, чтобы СМС отправить.

— Часто к вам граждане с такими просьбами обращаются? — спросила я, Лео нахмурился, а мужчина вновь пожал плечами.

— Она сказала, у нее сумку украли, там деньги, ключи от квартиры и мобильный. А дома ребенок один. Ей надо срочно подруге написать, чтоб она ее забрала отсюда. Ну я и дал. Сказал, что она может позвонить, но она СМС отправила.

Я достала телефон, нашла фото мамы и протянула телефон мужчине.

— Это она?

Он долго разглядывал изображение, губы его при этом шевелились, точно он что-то бормотал вслух, но слов я не разобрала.

— Похожа. Вроде бы. Я к ней не особо присматривался. Если честно, мне показалось, она малость не в себе. Может, конечно, из-за украденной сумки так расстроилась или из-за ребенка переживала. Руки ходуном ходили, когда я ей мобильник дал, она его чуть не уронила. И лицо... я сначала решил, она пьяная, но ничем таким от нее не пахло, напарник мой сказал, баба на психическую похожа. Она и вправду все время оглядывалась, будто чего-то боялась. Мимо машина ехала и посигналила, так она подпрыгнула даже.

— Она еще что-нибудь говорила? — задал вопрос Лео.

— Нет. Подошла, попросила мобильный, написала СМС, вернула телефон, сказала «спасибо» и ушла. Точнее, побежала.

— Куда? В сторону проспекта или к цирку?

— В том-то и дело, что она не по улице побежала, а свернула в Почаевский переулок. Там тупик и «кирпич» висит, машина точно не пройдет. Переулок крошечный совсем, и выбраться из него можно только проходными дворами. Если она хотела, чтобы ее подруга забрала, место не самое подходящее.

Мужчина стал разглядывать свои ботинки, а Лео спросил:

— Это все?

Он чуть помедлил и добавил:

— Я не уверен, но... там джип стоял. На противоположной стороне улицы. Не помню, когда он появился, но... похоже было, что баба эта испугалась, вот и кинулась в переулок. Джип с места тронулся, но развернуться там негде, ему пришлось чуть вперед проехать, в общем, время он потерял.

— На номер джипа внимание обратили?

— Нет, как раз начальство позвонило, да я и не сразу сообразил, что это может быть как-то связано, ну то, что баба в переулок бросилась, и этот джип... «Лендкрузер», цвет черный, стекла тонированные... Так что не разглядишь, кто в кабине был. На душе, кстати, муторно стало, еще подумал: в дерьмо бы какое-нибудь не вляпаться, так что не удивился, когда вы позвонили.

Я тут же вспомнила о джипе, который видела в своем дворе.

— Значит, женщина выглядела испуганной?

— Малость с приветом она выглядела, не в обиду вам будет сказано. Я, кстати, когда она про ребенка сказала, предложил ее отвезти. Мы с работой уже закончили, чего ж доброе дело не сделать. Уж очень она переживала... может, показалось мне, но она вроде хотела согласиться, но вдруг передумала и в переулок бросилась, потому что джип этот увидела. А теперь вы мне скажите: что это за баба? Неприятности мне ни к чему...

— Никаких неприятностей, — заверил Берзинь. — Я вам уже объяснил: эта женщина исчезла некоторое время назад, и мы понятия не имели, что с ней, и вдруг это СМС.

— Чудеса. Мне, конечно, бояться нечего, плохого я не делал, но не хочется, чтоб менты дергали. Больше того, что я уже рассказал, сообщить мне нечего.

— Спасибо вам.

Лео достал из бумажника купюру и протянул мужчине, тот слегка смешался, точно не мог решить: следует ее брать или нет. Но в конце концов взял. Кивнул на прощание и направился к машине. Мы смотрели, как он покидает парковку.

Лео повернулся ко мне и сказал:

— Поехали на Покровскую.

Никакого смысла в этом я не видела, но согласно кивнула.

Новенький рекламный щит точно указал на место, где развивались недавние события. Оставив машину на Покровской, мы отправились в Почаевский переулок. Не помню, когда я была здесь в последний раз, но выглядеть лучше за это время он не стал. Переулок заканчивался глухой стеной, за ней здание НИИ, слева и справа дома в ожидании то ли реставрации, то ли очереди на снос. Проходные дворы и выход на соседнюю улицу. Двери домов заколочены деревянными щитами.

Берзинь подошел и проверил их: попасть в здание невозможно, по крайней мере, таким путем.

— Что мы ищем? — задала я вопрос, немного понаблюдав за Лео.

— Сам не знаю, — буркнул он. — Предположить, что у твоей матери где-то здесь убежище, в котором она прячется четыре года, конечно, можно, но отдает белой горячкой.

— Тебе не кажется, что все это чушь? — сказала я, осматривая соседние строения.

Тут еще были жильцы, хоть и выглядели дома крайне убого.

— В каком смысле? — не понял он.

— Одно другому противоречит. В СМС сказано: «Он держит меня взаперти», так?

— Так.

— Выходит, она смогла сбежать от него, кем бы этот тип ни был. Что делает нормальный человек в такой ситуации? Правильно, поспешит оказаться в безопасном месте.

— А если такого места просто нет? — криво усмехнулся Берзинь. — Предположим, только предположим, — поднял он руку, — она не считает безопасным собственный дом.

— И ближайший отдел полиции тоже не считает?

— О коррупции ты, надеюсь, слышала? У нее мог быть повод решить, что полицейские примут сторону ее врагов.

— В переводе с дипломатического языка на общедоступный: мой отец где-то держит мою мать, а подкупленные им полицейские делают вид, что разыскивают ее... скажи на милость, если мой отец коварный злодей, зачем держать ее взаперти четыре года? Не проще ли убить?

— А если дело не в твоем отце, а в ней?

— Час от часу не легче, — хмыкнула я.

— Мы не знаем, что случилось за эти четыре года. Парень сказал, она выглядела... странно.

— Мама спятила и забыла дорогу домой, считает мужа злодеем, но шлет мне СМС.

— Ты забыла про труп, — вздохнул Берзинь. — Убитая девушка, предположительно, любовница твоего отца.

— Почти наверняка, — сказала я. — Что дальше?

— Дальше? Обещай, что не огреешь меня первым тяжелым предметом, подвернувшимся под руку, не пошлешь в дальние дали и не проклянешь тут же на месте.

— Судя по вступлению, ты готовишься сказать какую-то пакость.

— Лучше я помолчу.

— Лучше говори.

— Сюжет для детективного романа: жена убивает любовницу мужа, возможно, не желая этого. Приходит в себя и в ужасе от содеянного бросается за помощью к супругу.

— Оригинально. Я не сюжет имею в виду, тут-то все как раз банально, а ее обращение к мужу...

— Она в безвыходном положении. И он, в конце концов, ее муж. Скандал ему не нужен, любовницы он уже лишился, в общем, надежда на помощь не такая уж зыбкая.

— И эта парочка решает разыграть исчезновение?

— Не так глупо, как может показаться вначале. Предположим, что через некоторое время, когда расследование убийства девушки сойдет на нет, жена вернулась бы, объяснив свое отсутствие внезапной амнезией...

— Не забывай, жена исчезла через месяц после того, как обнаружили труп любовницы.

— И все это время ожидала, что полицейские явятся с минуты на минуту. Вот и решила в приступе отчаяния покаяться мужу.

— И он ей помог?

— До определенного момента. А потом решил: если уж она исчезла, то и возвращаться ей ни к чему.

— Ну так и что мешало стать вдовцом взаправду?

— Жена угадала его намерения и сбежала. В полицию ей нельзя, потому что муж убедил подругу жизни: лишь только она там появится, ее обвинят в убийстве. По этой же причине она не может обратиться к друзьям и родственникам.

— А к дочери все-таки обратиться решается. Но в игровой форме.

— Согласен, она ведет себя непоследовательно. Показывается и исчезает. Пишет СМС и торопится сбежать. Но такое поведение вполне объяснимо, она боится, что дочь все расскажет отцу и тот заманит ее в ловушку. Или уверена: отец не спускает с дочери глаз и об их встрече мгновенно узнает. Значит, у нее один выход...

— Заставить меня шевелиться, в надежде, что я сама все выясню.

— Примерно так, — кивнул Берзинь. — Что скажешь?

— Скажу, что проклинать тебя, а также бить по голове тяжелым предметом не буду, хотя искушение есть. История в целом мне понравилась, у нее лишь один изъян: она не имеет никакого отношения к моим родителям. Моя мама не убийца, а отец не злодей из мелодрамы. Они обычные дядя и тетя, наделавшие ошибок. В результате у папы появилась подружка на стороне, а мама в отместку обзавелась другом. Заметь, не любовником даже, по его собственному признанию. Все остальное — чушь собачья.

— Отлично, — кивнул он, и в голосе в самом деле чувствовалось облегчение. — Меня такой расклад вполне устраивает. Остается выяснить, кто шлет тебе сообщения.

— Пока только два.

— Подождем, когда будут другие?

На это возразить было нечего. Берзинь помолчал немного, точно давал мне возможность собраться с мыслями, и продолжил:

— Так или иначе, все происходящее связано с твоим отцом. Единственная возможность хоть немного продвинуться в расследовании... — тут он сделал паузу, — за ним понаблюдать.

Я на миг лишилась дара речи, после чего засмеялась, хотелось весело, но получилось зло.

— Без тяжелого предмета, пожалуй, все-таки не обойдется, — сказала я, а Берзинь кивнул, словно соглашаясь. — Все, хватит. Катись ко всем чертям...

— Ты хоть дослушай сначала, — проворчал он. — Я так понял, с отцом ты ничего не обсуждала, и он не в курсе всех этих странностей в твоей жизни. Вполне возможно, в его жизни они тоже есть. Вот и выясним, так ли это.

— Думаешь, мой отец будет рыскать по городу в поисках беглянки? — спросила я, с трудом сдерживаясь.

— Это вряд ли. Такие, как твой отец, подобными вещами не занимаются. По крайней мере сами.

— Лео, — позвала я, — ты считаешь меня конченой идиоткой? Кто еще станет следить за родным отцом в компании его врага?

— Вот сейчас ты в самом деле ведешь себя как идиотка. Повторяю еще раз: да, у двух благородных глав семейств есть противоречия. И твой отец мне малосимпатичен... был. Ровно до того момента, как стала очень симпатична ты. Враг моего отца — мой враг здесь не катит, я и к нему-то заметно подобрел, а про тебя и говорить нечего. Ну а потом, если ты так уверена в своем старике, то чего бояться?

— Того, что ты задумал...

— Я буду на глазах, так что риск минимальный.

В этом, кстати, что-то было. Если действительно задумал, то разумнее об этом вовремя узнать и вмешаться. Совершенно ясно, от своей идеи он не отступится, то есть следить за отцом будет, со мной или без меня. Выходит, лучше со мной.

— Можно потолковее, что ты надеешься узнать, то есть увидеть? — спросила я, и уже по голосу было ясно, что я готова уступить.

— В идеале — выйти на тех, кто им тоже интересуется.

— Выследить тех, кто, возможно, следит за ним? — уточнила я.

— А как еще добраться до затеявших все это? Бегать по дворам в поисках странноватой бабы?

— А ты не боишься, что получится как раз наоборот, и затеявшие все это сядут на хвост нам, и мы, ничегошеньки не узнав, станем пешками в чужой игре. И одному богу известно, чем все это кончится.

— То, что за нами кто-то увязался, мы не проглядим. Это единственное, что я могу клятвенно тебе обещать.

— Большой опыт наружного наблюдения? — хмыкнула я.

— У меня? Нет. Но я знаю отличных профессионалов.

— Только попробуй, — глядя ему в глаза, сказала я. — Ты не будешь следить за моим отцом. Никто не будет. И если я узнаю...

— Можешь не продолжать, — усмехнулся Берзинь.

Он потянул меня за руку, торопясь покинуть подворотню.

— Хочешь кофе? — Я закатила глаза, демонстрируя свое отношение к данному предложению, а он усмехнулся: — Перехожу к светской беседе.

— Не утруждай себя.

— Не буду. Так ты хочешь кофе или нет?

— Я на работу хочу. Отвезешь?

— Что мне еще остается? — пожал он плечами.

Мы вернулись к машине, и вскоре он уже тормозил возле моего офиса.

— Увидимся вечером? — спросил ворчливо.

— Знаешь, у меня такое впечатление, что мы и так слишком часто видимся. То ли время летит быстрее, чем должно, то ли ты не даешь мне возможности по тебе соскучиться.

— Доразбрасываешься мужиками! — крикнул он мне в спину. — Пойдешь замуж за своего Илюху. И будет у тебя не жизнь, а тоска зеленая.

— Главное, чтоб твоя радовала красками.

Оказавшись в привычной обстановке, я поначалу успокоилась. Взялась за выкройки, но вскоре стало ясно: работа интересует меня крайне мало, если быть честной, вообще не интересует. Мысли в голове скакали, точно блохи, и были очень далеки от шляпного бизнеса.

«Между прочим, кое-что здравое в его словах содержалось», — вдруг подумала я, а уж потом думала об этом не переставая. Если вокруг отца что-то происходит, его поведение непременно будет свидетельствовать об этом. Жизнь отца, по сути, довольно однообразна, работа — дом. Встречи с друзьями. И любое изменение расписания — сигнал.

Стыдно сказать, но мысль следить за отцом больше не казалась неприемлемой, мало того, с каждой минутой я лишь укреплялась в этом намерении. Само собой, Берзиня к отцу на пушечный выстрел подпускать нельзя, на какие бы чувства он ни намекал и какие бы серенады под окном ни пел. Знаем мы этих сладкоголосых.

Илюха тоже не годится. По крайней мере, пока толком не ясно, что происходит. Значит, придется самой. Господи, что я себе вообразила? Тоже мне сыщик. С другой стороны, ничего особо сложного. Немного покататься по городу, стараясь не терять отца из вида.

На самом деле ломало меня и корежило вовсе не из-за отсутствия уверенности в собственных силах. Все дело в муках совести. Нормальные дочери так не поступают. Я даже подумала: а не отправиться ли к папе прямо сейчас и все рассказать? Но... В этом «но», как ни крути, содержался вопрос, не дававший все это время покоя: что, если мама действительно ждет моей помощи? Моей. А не его. То есть не находятся ли родители по разные стороны баррикады? Мои мытарства закончились вполне предсказуемо, я отправилась за своей машиной, предварительно позвонив отцу. Задала банальный вопрос «как дела?» и без труда выяснила: после работы папа поедет домой смотреть футбольный матч по каналу «Спорт». Можно было бы на этом успокоиться, но ближе к шести часам, а именно в это время папа собирался покинуть свой кабинет, я ожидала его в переулке, в сотне метров от офиса, поглядывая на стеклянные двери. Отец появился в шесть пятнадцать и направился к своей машине. Выехал с парковки, но свернул не направо, а налево, чем мгновенно вызвал беспокойство: он точно не домой едет. Чертыхаясь сквозь зубы (поносила я себя на чем свет стоит за свою дочернюю неблагодарность), я пристроилась за его машиной, стараясь держаться на значительном расстоянии. Если папа меня заметит, придется нагло врать, что я катаюсь по своим делам, а на его тачку попросту внимания не обратила.

На ближайшем светофоре отец свернул, и я едва его не потеряла, не успев на зеленый свет. Однако, проехав примерно с километр, увидела «Мерседес» отца, он был припаркован прямо напротив магазина «Живое пиво». Мне ли не знать папины привычки. Пиво он покупал только здесь, и я могла бы не утруждать себя слежкой, а сделать логический вывод: где спорт по телеку, там и пиво, и с легкостью ответить на вопрос, куда направился отец.

Можно было двигать дальше, не сомневаясь: отсюда он совершенно точно поедет домой. Но тут дала себя знать привычка все начатое доводить до конца. Я нашла место возле магазина «Стильные штучки», это совсем рядом с «Живым пивом». И отца не прогляжу, а если и он меня не проглядит, алиби мне обеспечено. В общем, я заглушила мотор и стала ждать. На отсутствие клиентуры папин любимый магазин не жаловался, да еще в такое время. Иногда очереди выстраивались, и я диву давалась, как у отца хватает терпения в них стоять. Вот и сейчас я настроилась на ожидание. Таращилась на дверь из мореного дуба и так старалась, что едва не проворонила еще одного персонажа.

Она появилась из небольшого сквера, что вел к автостанции. На этот раз она была одета в драповый костюм, такого никогда не было у мамы. Солнцезащитные очки, платок, такое впечатление, что она прячет лицо. Лишь только я увидела ее, сердце ухнуло вниз, и я едва не закричала: «Мама!» Но тут же пришли сомнения. Что-то не так. В общем, я не стала выскакивать из машины, а продолжала наблюдать. Хотя понадобились усилия, чтобы остаться на месте.

Женщина заметила машину отца, это стало ясно, когда она сначала замедлила шаг, а потом сменила траекторию движения и вскоре уже стояла возле «Мерседеса». Я продолжала теряться в догадках, кто эта женщина. Она то казалась очень похожей на маму, то вдруг возникали сомнения, затем и вовсе приходила убежденность, что это не она. На вопрос, она или не она, мог ответить отец. Это была одна из причин, почему я все еще сидела в машине, мне было важно знать, что произойдет дальше.

Наконец отец появился в дверях магазина с большим бумажным пакетом, который нес, прижимая к груди. На женщину он до последнего не обращал внимания, следовательно, встреча не запланирована. Они едва не столкнулись, женщина стояла к нему спиной и вдруг резко повернулась. Она что-то сказала, он ответил. С минуту они разговаривали, затем отец убрал пакет на заднее сиденье. Женщина нервно оглядывалась. Отец хмурился, встреча вряд ли доставила ему удовольствие, но особых эмоций он не демонстрировал. А должен бы, если перед ним жена, которая исчезла четыре года назад. Отсюда вывод: либо эта женщина — не моя мать, либо тот факт, что она как ни в чем не бывало разгуливает по городу, для него вовсе не новость. То есть в вопросе, она это или не она, я ни на шаг не продвинулась.

Отец собирался сесть в машину, но женщина решительно преградила ему дорогу, заговорила быстро и весьма эмоционально, левая рука взметнулась к лицу, пальцы крепко прижаты друг к другу в таком знакомом жесте. От него у меня пошла дрожь по всему телу. Отец выслушал ее спокойно, достал бумажник и протянул женщине деньги. С моего места банкноты не разглядеть, но, судя по всему, сумма немалая. Женщина убрала деньги в карман юбки и вновь заговорила. Особой благодарности к отцу она точно не испытывала. Так денег не просят, а требуют.

Кто эта женщина и что, черт возьми, происходит? На оба эти вопроса можно попытаться получить ответы прямо сейчас. Подойти к ним с радостным «здравствуйте». «С кем это, папа, ты разговариваешь? О, как вы похожи на мою мать. Вам никто этого не говорил?»

Я уже собралась выйти из машины, но в последний момент передумала. Куда разумнее проследить за ней, выяснить, кто она, где и под каким именем живет.

Отец между тем ответил что-то довольно резко, сел за руль и поспешно тронулся с места. А я, выйдя из машины, направилась к женщине. Она стояла у края тротуара и смотрела в том направлении, куда удалился «Мерседес» отца. Вдруг отступила на шаг, а потом развернулась и побежала в сторону проспекта. Я бы решила, это она со мной встречаться не желает, вот и ударилась в бега, но видеть меня она не могла, стоя ко мне почти спиной. Значит, спугнул ее кто-то другой. Или что-то другое.

Оглядываясь по сторонам в поисках этих самых «других», я бежала за ней, то и дело натыкаясь на прохожих. Несмотря на все мои усилия, расстояние между нами не сокращалось. Бегаю я неплохо, но, похоже, она это делала лучше. Я хотела крикнуть «мама!» в надежде, что она остановится или хотя бы замешкается, но слово это застряло где-то в горле, точно на него вдруг наложили табу. Женщина не была моей матерью, хотя очень на нее похожа. Это была уверенность, в общем-то, ничем не подтвержденная, пресловутое шестое чувство. Ему можно верить, а можно — нет. В любом случае сомнения останутся.

Женщина свернула в подворотню, и я последовала за ней, нисколько не заботясь о том, что она меня увидит. Погоня продолжалась уже несколько минут, и я не заметила, чтобы в ней участвовал еще кто-то. Двор оказался проходным, задний двор продуктового магазина, из «Газели» выгружали коробки, мне пришлось притормозить, чтобы не столкнуться с грузчиками, а еще понять, куда испарилась женщина. «Газель» со стороны улицы заехать сюда не могла, свод в пространстве между домами слишком низкий, значит, есть проезд на соседнюю улицу.

Я бросилась в следующий двор, и тут кто-то схватил меня за руку, выскочив откуда-то справа, как черт из табакерки. Я взвизгнула от неожиданности и увидела рядом с собой рослого парня с аккуратной бородкой. Пока я гадала, что ему надо, успела увидеть еще кое-что: черный «Лендкрузер» в глубине двора, а на его переднем сиденье беглянку. Она смотрела на меня, прикрыв рот ладонью, точно сдерживая крик. Задняя дверь джипа была открыта.

— Вперед! — скомандовал бородатый и потащил меня к машине.

Если за секунду до этого я и сама рвалась к ней всей душой, то теперь очень этому противилась. Изловчившись, я ударила парня ногой в колено, он матюгнулся и второй рукой схватил меня за волосы, проорав в ухо:

— Дернешься, башку сверну... в машину, мать твою...

До джипа оставалось метров двадцать, когда за нашей спиной возник Берзинь. Вот уж кого я точно не ожидала увидеть, но была безмерно рада, когда услышала гневный окрик:

— Отпусти девушку!

А вслед за этим грохнул выстрел. В полном обалдении от происходящего и совершенно не понимая, кто стрелял, я отчаянно завизжала. Державший меня бородач соображал куда лучше, толкнул меня под ноги Берзиня, я растянулась на асфальте, Лео бросился ко мне, а бородач — к джипу, нырнул в заднюю дверь, она тут же захлопнулась, машина рванула с места и через мгновение уже скрылась с глаз.

— Привет, милая, — проворчал Лео, помогая мне подняться, за секунду до этого сунув в карман пистолет. Оружие в его руках я видела совершенно отчетливо и успела сообразить: это он стрелял.

— Ты здесь откуда? — спросила с вызовом, а он уже тащил меня со двора.

— Если не возражаешь, я бы предложил беседовать в другом месте. Сейчас полиция нагрянет.

— Вот и отлично, не придется к ним самой ехать.

— Я бы не стал считать это большой удачей.

Всерьез возражать я не могла, на это не было ни сил, ни особого желания. Хотелось хотя бы небольшой передышки, сесть, успокоиться и попытаться понять, что произошло. Полицейские действительно появились незамедлительно, правда, мы к тому моменту уже были в сквере.

Плюхнувшись на скамью, я сказала гневно:

— Откуда у тебя оружие?

Гневалась я в основном на неизвестных типов, но досталось Берзиню, потому что типы теперь были в недосягаемости, а он тут рядом.

— У меня на него разрешение есть. Показать? — огрызнулся он, судя по всему, тоже очень гневался, и это вызвало жгучую обиду.

— Тогда зачем мы удрали?

— Ментам объяснять замучаешься, что и как. Эти придурки сбежали, а я — вот он. До скончания века можно на их вопросы отвечать.

— Ты номер машины запомнил? — немного подобрела я, сама я его не только не запомнила, но даже увидеть не успела, и удивилась, когда Берзинь ответил:

— Запомнил.

Радость моя оказалась преждевременной, потому что он продолжил:

— Только вряд ли это поможет. — Он достал мобильный, набрал номер, а когда ему ответили, продиктовал номер, назвав марку джипа, добавил: —

Пробей как можно скорее. — И на меня посмотрел с большим неудовольствием.

Не зная, к чему это неудовольствие отнести, я с вызовом спросила:

— Как ты здесь оказался?

— Догадайся с трех раз, — съязвил он.

— Следил за мной? — возмутилась я.

— Самое время сказать мне спасибо, милая. Кстати, я предупреждал, что одну тебя не оставлю. Чуяло мое сердце... так и вышло... Подумать страшно, что было бы, не окажись я рядом.

В общем-то, стоило согласиться, но я почему-то не спешила: то ли из духа противоречия, то ли еще по какой неведомой причине.

— Я когда-нибудь услышу слова благодарности?! — вдруг повысил он голос.

— Что ты орешь? — отпрянула я. — Подвиги совершают по велению души, а не для того, чтоб тебя благодарили.

— Да? Но доброе слово всегда приятно, могла бы и расщедриться.

— Спасибо, — кивнула я. — Теперь все?

Он вздохнул, отвернулся, но молчал недолго.

— Это твоя мать? — нерешительно спросил он, и эта внезапная нерешительность, так ему не свойственная, мгновенно вызвала симпатию.

— Нет. Хотя... я не уверена.

— Твой отец, судя по всему, с ней хорошо знаком. Бабло первой встречной совать не станешь.

«Значит, он все видел», — подумала я.

— Хрень какая-то, — выругался он. — Одно с другим не стыкуется.

— Что должно стыковаться?

— Как что? Если это твоя мать, а твой отец держит ее взаперти, какого лешего она по городу таскается? Да еще поджидает его возле машины и просит деньги.

— Не похоже, что у них была назначена встреча, — внесла я свою лепту в чужие размышления. — Думаю, она увидела машину отца и решила его дождаться.

— Насколько я знаю, твой отец — человек привычки. Вероятность встретить его здесь весьма велика. Возле офиса охрана, камеры, а тут... — Он пожал плечами. — Нюська, — позвал хмуро и после паузы продолжил: — Это была ловушка. Им нужна ты.

С минуту я таращилась на него в недоумении, признаться, такой поворот удивил, а Лео между тем вновь заговорил:

— Твой отец, увидев ее, совсем не удивился, значит, в ее появлении для него ничего необычного нет. И это первая загадка. Если не от мужа она сбежала, то кто этот «он»?

— Могу я вторую загадку сразу подкинуть? — сказала я. — Если верить парню, у которого женщина взяла мобильный, она очень испугалась, когда появился джип. Похоже, тот самый. Черный «Лендкрузер»... но здесь она к нему сама направлялась, он ждал ее во дворе, и уж точно никто за шиворот ее не тащил.

— На этот вопрос ответить можно с большой долей вероятности: они ее все-таки нашли и использовали как приманку. Вот она немного поболталась у тебя на глазах и поспешила в подворотню, где ждали лихие дяди. Либо, с ее точки зрения, ничего скверного тебе не грозило, либо это совершенно точно не твоя мать. У нее была возможность от них сбежать или позвать на помощь там, на улице. Но она этого не сделала.

— И зачем я им понадобилась, как думаешь?

— Вот уж не знаю. Решили шантажировать твоего отца?

Тут зазвонил мобильный, Лео ответил, выслушал собеседника и ко мне повернулся.

— Как я и думал, — сказал с недовольством.

— «Лендкрузера» с такими номерами нет?

— Глупо было рассчитывать на везенье.

— Ладно, будем считать, боженька все-таки на нашей стороне, раз я здесь, а не в руках злодеев, — поднимаясь со скамьи, сказала я.

— Я с тебя глаз не спущу, — покачал головой Берзинь, но с командирских интонаций тут же перешел на просительные. — У меня есть квартира, о ней мало кто знает... Давай ты там поживешь.

— Может, и поживу. А сейчас мне надо в отчий дом.

— Зачем?

— Ну это просто. Узнать у папы, кто эта женщина.

— Вот с этим лучше не торопиться. — Опять командирский тон.

— Почему? — нахмурилась я.

Он покачал головой с заметной досадой, точно моя недогадливость его раздражала.

— Для начала не худо бы знать, что их связывает.

— Именно это я и хочу выяснить.

— Нюська. — Он шагнул мне навстречу, преграждая дорогу, чувствовалось, ему есть что сказать, но были некие соображения, которые его удерживали. Душевная борьба и сомнения отчетливо читались на его физиономии. Кстати, с этими своими сомнениями он в тот момент казался очень красивым, по крайней мере, выглядел нормальным парнем, которому ничто человеческое не чуждо, это куда лучше, чем презрительная мина и абсолютное равнодушие ко всему происходящему, которые он обычно являл миру.

— Нюська... и что дальше? — поторопила я.

— Давай ты отложишь разговор с отцом хотя бы до завтра.

— С какой стати?

— Хорошо. Тогда я поеду с тобой.

Я свела глаза у переносицы:

— Папа будет счастлив. Может, поведаешь, что у тебя на уме?

— Тебе это не понравится.

— Да ты мне в принципе не нравишься, так что переживу.

— Это правда? Я тебе совсем не нравлюсь?

— Удивительно, не так ли? — хмыкнула я.

— Это совсем не смешно, — ответил он серьезно и отступил в сторону. — Хорошо, отправляйся к отцу.

— Спасибо, — сказала я и пошла к своей машине.

Берзинь довольно отчетливо выругался и направился к своей. Я была уверена, мы расстались, по крайней мере, на этот вечер уж точно, но, бросив взгляд в зеркало, я обнаружила его машину в нескольких метрах от своей. Он не особо прятался, хоть и держался на расстоянии.

— Идиот, — сквозь зубы пробормотала я и тут же пожалела, что не была настойчива. Надо бы всетаки выяснить, какие соображения заставляют его вести себя по-дурацки. Хотя опасаться злодеев повод у меня есть, раз уж меня едва не запихнули в машину, заманив в ловушку. В одном Берзинь прав: эта женщина не может быть моей матерью. Но, судя по всему, именно она настойчиво мелькает перед глазами. Спрашивается: с какой целью? То есть кому все это нужно?

Папа в гостиной смотрел телевизор. Моему появлению удивился, но это было приятное удивление. В лице ни намека на беспокойство. Собственно, почему он должен беспокоиться, если о том, что я знаю о встрече возле магазина, он даже не догадывался.

— Наши выигрывают? — спросила я, кивнув на экран.

Папа досадливо махнул рукой.

— Останешься ночевать? — спросил он, должно быть, собираясь предложить мне пиво.

Я покачала головой.

— Я просто мимо проезжала, вот и решила тебя навестить. Папа, — собравшись с силами, сказала я. — Я тебя сегодня видела... возле магазина.

Папа смотрел с легким недоумением, потом кивнул.

— Ты был с женщиной. — Теперь он нахмурился, вроде бы что-то припоминая. — Она ждала тебя возле машины.

— А... — вновь кивнул папа. — Это знакомая...

— Папа, ты ей денег дал.

— Дал. Она сейчас без работы. — Тут он посмотрел внимательнее и вдруг засмеялся: — Нюська, это просто знакомая. Из тех, с кем вечно что-нибудь случается. Общаемся мы мало, но, когда у нее туго с деньгами, она вспоминает обо мне. Я не отказываю. Для меня пара тысяч — мелочь, а ей помогает держаться на плаву.

Я хотела возразить, что денег он ей дал куда больше, но вместо этого сказала:

— Она похожа на маму.

— Да? Не замечал... возможно, есть что-то общее... теперь, когда ты сказала, я, пожалуй, соглашусь... Дочь, это просто знакомая. Я не ищу замену маме, и эта женщина уж точно ее не заменит, так что не беспокойся.

Должно быть, папа решил, что у меня припадок ревности, вот и спешит заверить: никаких женщин. И что дальше? Рассказать о типах, которые ждали меня в подворотне? Или о появлении этой знакомой в самых неожиданных местах? А еще об СМС и поздравлении с днем рождения?

Папа, решив, что сказал достаточно, повернулся к экрану телевизора, а я поняла, что разговор сегодня вряд ли состоится. Я могу спросить, как зовут эту женщину, и, скорее всего, вызвать неудовольствие отца. Он ведь ясно сказал: это просто знакомая. Сообщать ему о своих приключениях я тоже не спеши-

ла. Уже утром я окажусь за тысячу километров отсюда, под присмотром друзей отца и без малейшей
возможности хоть что-то выяснить.

— Не буду тебе мешать. — Я поцеловала отца и
поспешно покинула дом.

Машина Берзиня стояла в конце переулка. Он
мигнул фарами, когда я проезжала мимо, и при-
строился за мной.

— Ты долго будешь мне глаза мозолить? — на-
брав его номер, спросила я.

— Всю оставшуюся жизнь. Что сказал отец?

— Ничего. Просто знакомая... иногда обращает-
ся к нему, если с наличкой туго.

— Имя назвал?

— Нет.

— Значит, просто знакомая без имени?

Этот вопрос здорово разозлил, хотя злиться на
Лео в данном случае было нелогично. Я могла бы
проявить настойчивость и расспросить отца, но этого не сделала.

— Слушай, — сказала я. — Ты же крутой бизнесмен, может, тебе своими делами заняться?

— Я бы с удовольствием. Да вот беда, ты так и
лезешь в дерьмо, и кое-кто уже обратил на это внимание. Успела забыть о парнях на «крузаке»?

— Свои проблемы я решу сама, — ответила я.
В досаде бросила телефон на соседнее кресло, уже
жалея, что позвонила.

Лео следовал за мной до самого дома. Пока я искала место для парковки, он бросил свою машину
прямо у подъезда, чем вызвал мои нелестные ком-
ментарии и очередную вспышку гнева.

— О правилах общежития ты ничего не слышал? — проходя мимо, спросила я.

Лео пасся возле входной двери и явно собирался отправиться за мной.

— Что за странная фантазия жить в доме, где даже паркинга нет? — ворчливо ответил он.

— Ну извини. Провожать не надо. Вряд ли злодеи затаились в подъезде.

— А вдруг?

Он придержал дверь и вошел следом. Лифт я проигнорировала, на что Берзинь не преминул заметить:

— Польза физических нагрузок?

— Нет. Жуткий кошмар: застрять вместе с тобой в лифте.

— Да ладно, скучать я бы тебе точно не позволил.

— Считай, что упустил свой шанс.

— Ничего, еще будут другие.

— Ну вот, ты меня проводил. Обидно, что ничего не случилось. Мог бы погеройствовать.

— Лично мне известны куда лучшие способы провести вечер.

— Всего доброго, — достав ключи от квартиры, сказала я.

— Надо поговорить, — вздохнул он.

— Лео, мы только и делаем, что говорим.

— Это намек? — поднял он брови. — Можно приступать к решительным действиям, не боясь схлопотать по физиономии?

— А ты боишься? — удивилась я.

— Тебя — да. Ты девушка особенная. И непредсказуемая.

— Не повезло тебе.

— Точно. Изо всех сил стараюсь не падать духом. Может, мы все-таки войдем? — кивнул он на дверь. — Держать гостя на лестничной клетке неприлично.

— Ты не гость. И делать тебе в моей квартире нечего.

— Не дури, я тебя пальцем не трону. И ты это прекрасно знаешь.

— Да? Откуда?

— От верблюда, — отмахнулся он. — Открывай.

Тяжко вздохнув, я открыла дверь, мы вошли в квартиру, я сбросила туфли, поставила сумку на консоль, Лео прошел в гостиную и устроился в кресле. Сидел, раздвинув ноги, сцепив ладони замком и смотрел себе под ноги. Я села напротив, настороженно поглядывая на него.

— Я должен тебе кое-что сказать, — буркнул он минут через пять.

— Решил в любви признаться? — усмехнулась я.

— Очень смешно.

— Как для кого.

— Послушай, я даже думать боюсь, как ты все это воспримешь... но, если ты сама узнаешь, будет еще хуже.

— Судя по вступлению, это какая-то гадость.

— Обещай, что хотя бы выслушаешь.

— А куда мне деваться. Выбросить тебя в окно я вряд ли сумею... Излагай...

— Черт... — он наклонил голову и потянул ее вниз сложенными на шее руками. Взглянул исподлобья. — Когда мы встретились в ночном клубе...

короче, я поспорил с одним типом, что уложу тебя в постель. Максимум через три дня.

— Так больше прошло, — прикинув в уме, когда это было, заметила я. — На что спорил?

— На ящик шампанского.

— Не обеднеешь. Или хочешь меня в долю взять? Трахаемся по-быстрому и делим ящик поровну?

— Злишься? — вздохнул он.

— Нет, что ты. Прикидываю варианты.

— Согласен, я вел себя как последний придурок...

— Ты и сейчас ведешь себя не лучше.

— Потому что правду сказал?

— Потому что мне пофиг. Хотя нет, на душе спокойней стало. Не надо теперь гадать, с какой стати ты прилип, точно репей.

— Прилип я совершенно по другой причине.

— Я должна спросить, по какой?

— Желательно.

— Тогда не буду. Покаялся? Топай. Где выход, знаешь.

— Нюська, я тебя люблю, — заявил он, стиснул зубы и в глаза мне уставился.

Я весело хмыкнула и головой покачала.

— И чего ты хочешь? Медальку за честность? Или ждешь, что я на радостях тебе на шею кинусь, мы сольемся в экстазе и ты наконец-то выиграешь пари? А давай я тебе справку напишу: Лео Берзинь трахнул меня на третий день...

— Все-таки злишься, — кивнул он.

— Нет, я просто в восторге. Так как насчет справки?

— Я уже привез этому типу ящик шампанского. И признал, что ничего не вышло.

— Боже, как благородно. Даже не знаю, как тебя благодарить...

— Лучше б мне лишиться своего поганого языка, — покаянно заявил он.

— Было бы неплохо.

— Прости меня. Пожалуйста. Мне так тошно, что слов нет.

— Странно, ты такой говорливый парень. Ладно, катись отсюда. Будем считать, что вопрос исчерпан.

Он встал с кресла и опустился передо мной на корточки, сгреб мои руки в свои и вновь на меня уставился. Мне очень хотелось заключить его в объятья. Устроиться на его груди и встретить рассвет с улыбкой счастья на устах. Черт знает, что мешало. Возможно, упрямство. Или обида, которая оказалась куда **сильнее**, нежели я думала. А может, мысль о том, что притворялся он довольно ловко и кто знает, не продолжает ли притворяться сейчас. Может, в самом деле решил пари выиграть. Илюха ведь предупреждал: «Берзинь ради достижения своей цели готов на все».

— Я тебя простила. Честно, — сказала я, — а теперь дай мне в покое и уединении насладиться счастьем. Не каждый день мне признаются в любви.

Он поднялся и шагнул к двери.

— Насладись. Я сказал это в первый раз в жизни, похоже, что и в последний.

Он скрылся в прихожей, входная дверь захлопнулась, а я зарыдала. Размазывала слезы ладонями, сама толком не зная, что оплакиваю. То ли его уход, то ли свою неспособность быть стойким оловянным солдатиком. «Он тебе совершенно не подходит», — упрямо твердила я, помогало плохо. Конечно, не подходит. Но кого это останавливало?

В общем, вечер и почти всю ночь я провела в душевных мытарствах. А проснувшись утром, первым делом подумала: он не позвонил ни разу. Значит, мое поведение здорово его задело. И что теперь? Самой звонить? Ну уж нет. Вновь едва не разрыдавшись, я прошлепала в кухню с намерением выпить кофе и встретить новый день с бодростью и оптимизмом, машинально посмотрела в окно: «Рендж Ровер» Лео так и стоял у подъезда. Я нахмурилась, немного потопталась на месте, потом кинулась к входной двери, но вовремя притормозила. Умылась, переоделась в платье и только после этого решила спуститься вниз.

Однако далеко идти не пришлось. Лео сидел на верхней ступеньке лестницы прямо возле моей квартиры. Услышав, что дверь открылась, повернулся и взглянул недобро.

— Привет, — сказала я. — Что ты тут делаешь?

Он хмыкнул и головой покачал, вроде бы досадуя на мою бестолковость.

— Не стоило себя истязать, — съязвила я, а он ответил:

— Я же сказал, что глаз с тебя не спущу, пока не разберусь в этой истории. — Он поднялся и спросил хмуро: — В туалет можно?

— Заходи, — кивнула я и пошла готовить кофе.

Услышала, как заработал душ, потом дверь ванной комнаты открылась, и Лео крикнул:

— Полотенце дай!

Я покачала головой, но за полотенцем сходила. Постучала, он, приоткрыв дверь, протянул руку, а я сказала:

— Держи. Рубашку постирать?

— А ты можешь? — съязвил он.

— Я — нет, но у меня есть стиральная машина. — Тут я малость сбилась и даже покраснела. Лео стоял голый, его отражение я увидела в зеркале, прежде чем он закрыл дверь.

— Сукин сын, — пробормотала сквозь зубы.

Со стиральной машиной он сам прекрасно справился, из ванной появился в одних брюках, придирчиво оглядывая пиджак, который нес в руках.

— В твоем подъезде кошками воняет, — заявил он.

— Никто не просил тебя сидеть под дверью.

Он предпочел сделать вид, что моего замечания не услышал. Сел за стол, а я поставила перед ним чашку кофе.

— На завтрак рассчитывать не приходится? — проворчал он.

— Накормлю, если дашь мне пятнадцать минут, — решила я быть покладистой и стала готовить завтрак, на счастье, кое-что в холодильнике нашлось.

Пока я лепила сырники, Берзинь пил кофе и на меня пялился, скорее, с недовольством. Надеюсь, относилось оно не к моему внешнему виду. Парень наверняка злился из-за вчерашнего. Я не каталась по полу от радости, что он мне в любви признался. Представляю, как это задело его самолюбие.

Я поставила перед ним тарелку с сырниками, щедро сдобрив их сметаной. Он принялся жевать, потом сказал:

— Надо же, съедобно. Даже вкусно.

— У меня масса скрытых талантов, — порадовала я.

— На работу сегодня не ходи, побудь дома, — сказал он, покончив с сырниками, и добавил: — Я все думаю об этих типах на «Лендкрузере»...

— И что ты о них думаешь?

— Боюсь, они так просто не отстанут.

— Не запугивай меня.

— Какой в этом смысл? Ты все равно меня не слушаешь.

Раздался сигнал, что стирка закончена, и я отправилась в ванную. Достала рубашку Лео из машинки и пошла ее гладить. Пока устанавливала гладильную доску, Берзинь появился в комнате.

— За завтрак спасибо. Рубашку я сам поглажу.

— Мне не трудно, — примирительно сказала я.

Он отошел к окну, привалился к подоконнику, откуда и наблюдал за мной.

— Держи, — протягивая ему рубашку, сказала я и добавила с улыбкой: — Твой накачанный торс вводит меня в смущение.

— Изо всех сил стараюсь произвести впечатление, — съязвил он.

— Тебе это удалось.

— Да неужели?

Он не торопясь застегивал пуговицы, а я топталась рядом. Заправив рубашку в брюки, он сел в кресло и сказал, глядя на меня снизу вверх:

— А теперь поговорим серьезно.

— О чем? — не поняла я.

— Например, о твоем отце. Ты ведь не дура и понимаешь, что его алиби гроша ломаного не стоит.

Наверное, вид у меня был довольно глупый, Берзинь досадливо покачал головой, а потом соизволил развить свою мысль.

— Твою мать видели возле офиса незадолго до ее исчезновения. Так?

— Так.

— Теперь у нас есть баба, которая очень похожа на твою мать. Она знакома с твоим отцом, и он снабжает ее деньгами.

— Что? — пробормотала я и повторила громче: — Что? Ты хочешь сказать...

— Я хочу сказать, что теперь нет никакой уверенности, что в машине возле офиса была твоя мать.

— Сволочь... — покачала я головой. — Мстишь мне за вчерашнее?

— Нет. И все еще пытаюсь помочь. Но для этого придется трезво взглянуть на вещи. Детка, я ведь предупреждал: правда часто бывает малоприятной. У твоего отца нет алиби. Возможно, он говорил правду, а возможно, нет. Это и предстоит выяснить. Ты готова?

— Не пытайся настроить меня против отца, — очень медленно произнесла я.

— Ты хочешь знать правду, но эта правда должна тебе понравиться? — усмехнулся он. — Допусти на минуту мысль о том, что эта баба играла роль твоей матери, и очень многое станет понятно.

Самое страшное, что Лео был прав. Никто ни разу не усомнился, что на тот момент, когда отец отправился на работу, мама оставалась в доме, а через пару часов приехала в офис. Телефонный звонок, которого на самом деле не было, она вдруг разворачивается и уезжает. Отец все это время провел на глазах десятка людей, которые подтвердили: в тот день он никуда не отлучался... Через четыре года его вдруг начинают шантажировать, а я то и дело натыкаюсь на свою исчезнувшую мать. Это должно заставить отца быть покладистым. Вряд ли он захочет, чтобы я знала, кто сидел за рулем маминой машины в тот день. Если отец в самом деле связан с этой женщиной, ей ничего не стоило попасть в дом, взять мамин плащ, а потом его вернуть... Но это еще не значит, что отец в чем-то виноват.

Тут до меня дошло, что последние слова я произнесла вслух. Лео согласно кивнул.

— Не значит. Хотя, может быть, наоборот. У меня только один вопрос: ты готова к этому?

— Я бы предпочла, чтобы ты не лез в это дело, — сказала я.

— Ты мне не доверяешь?

— Если мой отец окажется в безвыходном положении, тебе это только на руку.

— Дура, — буркнул он. — На сегодняшний день у тебя нет более преданного союзника.

— Я должна в это поверить?

— Лучше, если поверишь. Избавишь от лишних трудностей себя и меня.

— Поклянись, что не станешь вредить моему отцу, — сказала я.

— Да пошла ты к черту! — рявкнул он. — Ты за кого меня принимаешь? За беспринципного подонка, который пойдет на что угодно, чтобы уничтожить конкурента?

— Я боюсь ошибиться. — Вышло чересчур испуганно.

— Боишься, так никуда не лезь.

— Ты здорово запоздал с советом, — вздохнула я. Он тоже вздохнул и привлек меня к себе.

— Представляю, как тебе тошно. Обещай хотя бы, что без меня шагу не сделаешь. Я боюсь за тебя. Очень.

— Наверное, даже слишком, — улыбнулась я, — если всю ночь в подъезде просидел.

— Надо будет, поселюсь там насовсем, — проворчал он. — Будешь по утрам, выходя на работу, через меня перешагивать.

— Лучше я буду кормить тебя сырниками и гладить рубашки.

— Пожалуй, мне повезло. Хозяйственная девчонка попалась.

— Ты еще не все знаешь.

— Не сомневаюсь.

— Мне нужно съездить в дом отца. Срочно, — без перехода произнесла я, а Лео выругался:

— Твою мать. Мы о чем сейчас говорили?

— Надо кое-что проверить. Отец уже на работе. В доме сейчас домработница, и на то время, что я там, могу поставить дом на охрану. Ты мог бы отвезти меня, а потом забрать?

— Что ты хочешь проверить?

— Обязательно расскажу. Но позже.

— Что же так не везет-то, — покачал он головой, — изо всех красоток в городе выбрать самую несговорчивую.

— Чем больше трудностей, тем больше счастья впереди.

— Это обещание? Как говорили в доброй старой Англии: «Я могу надеяться?»

— Еще бы. Твой голый торс заставил бешено биться нежное девичье сердечко.

Он убрал волосы с моего лица, а я поспешно отступила, испугавшись, что он меня поцелует, потому что, ясное дело, в этом случае мы квартиру вряд ли покинем в ближайшие часы, а мне очень нужно оказаться в доме отца.

— Верится с трудом. Подозреваю, что ты совершенно бессердечна.

— Явная клевета. Так мы едем?

— Мы знакомы-то совсем ничего, и она из меня уже веревки вьет, — хмыкнул он и направился к двери.

По дороге Лео с сомнением поглядывал на меня, а потом сказал:

— Надо выяснить, кто эта баба. Для этого придется установить слежку за твоим отцом.

— А нет другого способа найти ее?

— Может, и есть, но пока ничего толкового в голову не приходит.

— Папа будет в восторге, если узнает.

— Постараемся, чтобы не узнал.

— Прозвучало не очень уверенно. Лео, ты не будешь следить за моим отцом. Ты понял?

— Черт, — выругался он.

— Ты понял? — повторила я.

— Понял, понял... Что ж, буду ломать голову, как отыскать в полумиллионном городе бабу, о которой известно лишь одно: она похожа на твою мать. Ждешь меня в доме отца. При малейшем намеке на опасность сразу звонишь. Ты поняла? — передразнил он.

— Я на редкость сообразительна.

— Пока я вижу, что на редкость упряма.

— В женщине прекрасно все, даже ее недостатки.

Говоря Лео о том, что мне надо кое-что проверить, я не лукавила, хотя объяснять, в чем дело, не торопилась. А дело было в мамином плаще, который сначала исчез из гардеробной, а потом вновь появился.

В прошлый раз меня другие мысли одолевали, наверное, поэтому я и не придала особого значения поведению нашей домработницы. А ведь мой интерес к плащу ее здорово напугал. Теперь, вспоминая сцену в гардеробной, я в этом не сомневалась. Светлана Петровна, безусловно, что-то знала.

Сейчас она как раз в доме, вот и поговорим. Домработницу я застала в кухне.

— Здравствуйте, — громко сказала я.

Светлана Петровна улыбнулась, кивнув в ответ, но чувствовалось: мое присутствие ее скорее раздражает.

— Будешь завтракать? — спросила она.

— Нет, спасибо. Папа давно уехал?

— С час примерно.

Она смотрела выжидающе, как будто толком не зная, что делать. Необычное поведение. Отношения наши были, скорее, дружескими, и никакой натянутости раньше я не замечала.

— Вы зачем брали мамин плащ? — спросила я.

Она вздрогнула от неожиданности и теперь смотрела с испугом. Губы ее беззвучно шевелились.

— Какой плащ? — пролепетала она, в голосе страх и ни намека на удивление. — Да ты с ума сошла, я сроду ничего не брала.

— Плащ все-таки взяли. Так кому он понадобился?

Она огляделась, словно ища поддержки, горестно вздохнула, а потом заплакала. Смотрела на меня, стиснув руки, и плакала. Сделала несколько шагов к дивану, тяжело опустилась, я подошла и спросила:

— Принести вам воды?

Светлана Петровна покачала головой.

— Прости меня, Аня. Бес попутал. Знала ведь, что добром не кончится. Как тебя в гардеробной увидела, так и поняла... да ведь не переиграть. Правду говорят: и на старуху бывает проруха.

Я села рядом и взяла ее за руку.

— Рассказывайте, — попросила как можно мягче.

— Неделю назад иду с работы, от вас то есть, — вздохнула она, — а этот меня поджидает. Возле остановки подошел.

— Кто подошел? — решила уточнить я.

— Уж теперь сама гадаю, — вновь вздохнула она. — Подхожу, значит, к остановке, а он мне навстречу, мужик этот. Начал издалека. Спросил: «Вы Фомина Светлана Петровна?» — «Ну я». Стала к нему приглядываться. Рожа мне его сразу не понравилась, совершенно бандитская рожа, еще шрам этот... Шрам у него на щеке, вот здесь. — Она коснулась рукой щеки. — А он мне, значит, тычет удостоверение чуть ли не в лицо. Я сама не знаю, чего испугалась, а он ласково так: «Вы, мол, не волнуйтесь, Светлана Петровна, у меня к вам небольшой разговор». Ага, не волнуйтесь, сердце-то вниз, а давление скакнуло. Хоть не знаешь за собой никаких грехов, но все равно боязно. В общем, в сторонку отвел, сели на скамеечку. «Я, — говорит, — не хочу вас к себе вызывать, чтоб лишних разговоров не было. Вам хозяин-то небось запретил с журналистами да полицейскими общаться». — «Нет, — говорю, — ничего такого не было. С журналистами я и сама говорить не стану, я что ж, без понятия? Не мое это дело, да и не знаю ничего. Я щи варю да прибираюсь... всяк сверчок знай свой шесток... вот так... А с вами, — говорю, — хоть и не хочешь, а разговаривать придется, потому как власть, а с властью не поспоришь». А он сидит да ухмыляется. «Умная вы женщина, — говорит, — Светлана Петровна, и знаете, что ваша святая обязанность следствию помогать. Хозяйку-то вашу до сих пор не нашли». — «Так и есть, — говорю, — уж хозяин и к частным сыщикам обращался, а я так даже к гадалке ходила. Ничего толком не сказала, только в грех ввела. Грех гадать-то, батюшка в церкви сказывал».

Я начала подозревать: в рассказе мы далеко не продвинемся, если уж о гадалках речь зашла, но решила терпеть, подозревая, что моя торопливость даст обратный эффект.

— Он так криво усмехается и головой кивает, а потом говорит: «Я этим делом заинтересовался, потому что веду подобное. Тоже одна женщина исчезла средь бела дня. Была — и нет ее. Мне, — говорит, — для эксперимента нужна вещь вашей хозяйки. Кофта, пиджак, а лучше плащ, но так, чтоб муж ничего об этом не знал». — «Как же, — говорю, — я вещь без спроса возьму?» А он мне: «Она нам понадобится всего на пару часов, потом незаметно назад вернете». — «Нет, — говорю, — я без хозяина никак. К нему обращайтесь». А он мне опять с улыбочкой: «У вас, Светлана Петровна, внук есть. Неплохой парень. Но дружки у него не то чтобы очень...» Тут у меня, Аня, сердце в пятки ушло. «Всякое, — говорит, — может случиться. Подбросят наркотики, а с этим сейчас строго. Вместо института в тюрьму пойдет. Вы нам не поможете, мы вам не поможем». Я же не дура, поняла, куда он клонит. Ведь, считай, так и сказал: «Посадим парня в тюрьму, если помогать откажешься». Куда деваться? «Ладно, — говорю. — Все сделаю, как велите». А он лыбится, сволочь. Вынесла я ему плащ, ждал меня на остановке. Плащ-то я взяла, потому что он с края висел, да еще в чехле. Не заметят. А он мне денег дает, пять тысяч. «Это, — говорит, — вам за помощь. За внука не бойтесь, а плащ я скоро верну». И пошел. А меня аж трясет всю. Когда это полиция деньги раздавала? Тут я и заподозрила: что-то не так. Да вот беда: с перепугу я его фамилию не запомнила. То ли Груздев, то ли Гринев, но сердце чуяло: добром не кончится. Еще и деньги его поганые взяла. Но не выбрасывать же их? Хотя надо бы. Такие деньги счастья не приносят. В общем, вернулась я в дом да стала ждать, когда позвонит и плащ вернет. А он не звонит, вражина. Хозяин с работы вернулся, наврала с три короба, мол, пришла поздно, вот и задержалась, а сама боюсь Алексею Егоровичу в глаза смотреть. Стыдно. Он ко мне со всей душой... а я... С другой стороны, и про внука помню. Вот в какой переплет я попала, Аня.

— Плащ вам вернули?

— Вернули. Позвонил в тот день, когда ты плаща хватилась. Я ему: «Где плащ?», а он мне: «Завтра утром принесу». Опять меня на остановке поджидал. С плащом. Я только его в чехол убрала да вздохнула с облегчением, и тут ты...

— Фамилию следователя вы не помните, может быть, имя?

— Зовут Михаил Дмитриевич, когда звонил, назвался, я уже поспокойнее была, запомнила. А фамилию нет. Да и не мент он, Аня. Будь у меня голова-то на плечах да страха поменьше, я бы сразу поняла. Говорю, морда бандитская.

— Но удостоверение вы у него видели?

— Видела. Да что толку. Откуда мне знать, какое удостоверение правильное, а какое нет. Я ж их сроду в руках не держала. Морда на карточке его была, это точно. И написано было: следователь по особо важным делам. Мне в глаза слова бросились, оттого и на фамилию внимания не обратила, только, видать, не больно он шишка большая, хоть и написано «особо важный». Машинка плохонькая, а важные люди на плохих машинах не ездят.

— Вы видели его машину? — спросила я.

— Видела. Я проследить за ним решила, когда он мне плащ вернул. Сделала вид, что к вам отправилась, а сама через дорогу да в сквер. Он по улице идет, а я из сквера слежу. Оглянулся он, когда в машину стал садиться, но я успела спрятаться. Не заметил он меня, не то бы позвонил. Запугивать он мастер.

— Какая у него была машина?

— «Рено». Я все марки знаю. Когда внук поменьше был, уж очень интересовался. Все марки назубок знал, и я с ним. Память у меня, слава богу, еще не отшибло. И дорогие машины я очень хорошо знаю. Отец твой на хорошей машине ездит. И ты. А «Рено» — машина для тех, кто попроще.

— Может, она служебная?

— Может, только и на службе тому, кто в самом деле «важный», подороже машину дадут. Обвел меня вокруг пальца, сволочь.

— Номер вы не запомнили? — с надеждой спросила я.

— Чего запоминать-то? Записала. В кошельке бумажка лежит.

Я принесла из холла ее сумку, Светлана Петровна достала кошелек, из него клочок бумаги с номером и протянула мне.

— Прости меня, Аня, ради Христа. Ничего плохого я не хотела. Вы мне, считай, как родные. И ты, и отец твой.

— Вы папе пока ничего не говорите, — попросила я. — Попробую узнать, что это за тип такой. Вдруг в самом деле следователь. Правда, не знаю, зачем ему мамин плащ понадобился.

— Ты поосторожнее, Аня, человек он опасный, по роже его подлой видно. Меня так ловко подловил, внуком запугивая, от такого любой пакости жди. Может, все-таки отцу сказать? Стыдно и боязно места лишиться, но... за тебя еще больше боязно.

— Я Илью Вяземского попрошу, — сказала я. — Он адвокат, у него связи.

— А ты чего плаща-то вдруг хватилась? — спросила Светлана Петровна.

Посвящать ее во всю историю не хотелось, и я без зазрения совести соврала:

— Мне его на работе подкинули. А потом из машины украли.

— Что делается, — ахнула она. — То-то ты сама не своя прибежала. Я ведь сразу тебе сказать хотела. Побоялась, в общем. Простишь меня? — вздохнула она.

— Да не за что мне вас прощать. Папе пока ничего не говорите.

— Спасибо тебе, — похлопав меня по спине, сказала она.

А я отправилась в свою комнату. Теперь требовалось решить, как искать типа с удостоверением. Самый простой способ — позвонить Берзиню. Однако, пораскинув мозгами, я предпочла Илью. Бог знает, что это за персонаж, а с Лео далеко не все ясно. Врет он ловко, и то, что для разнообразия решил покаяться, в этом смысле особых перемен не внесло. Рассказать о грехе менее значительном — хороший способ скрыть более значительный. Именно так я размышляла, набирая номер Ильи. Голос его звучал с намеком на обиду.

— Неужто ты меня вспомнила?

— Ты тоже звонками не донимал, так что не спеши с претензиями.

— Вы успели поссориться? Ты уже поняла, какой он гнусный тип?

— Я на пути к этому. На самом деле мне нужна твоя помощь. К домработнице мент с вопросами наведывался, но у нее закрались подозрения, что и не мент он вовсе. Фамилию не помнит, зовут Михаил Дмитриевич. — Я продиктовала марку и номер машины. — Сможешь установить владельца?

— Это и твой Берзинь смог бы. Ты ему не доверяешь?

— Конечно, нет. Доверять я могу лишь старым друзьям, а их раз-два и обчелся.

— Ладно, все сделаю, — заметно подобрел Илья.

— Постарайся как можно больше узнать об этом типе.

— Это работа для детектива и займет бездну времени.

— Хорошо, для начала сойдут самые общие сведения.

— Слушаю и повинуюсь, моя госпожа.

— Оставь кривляния для Берзиня. У него это лучше получается.

Теперь оставалось только ждать, а данный вид деятельности мне никогда особо не давался. Я взяла книжку и устроилась в кресле. Но тут пошли звонки от Лео. Я их игнорировала, так как рассказывать ему о том, что узнала от домработницы, не хотела, а он непременно пристанет с вопросами. Лео продолжал звонить, потом пришло СМС: «Немедленно ответь».

Вон оно как. В приказном порядке, да еще немедленно.

«Я очень занята», — быстро напечатала я.

«Чем? Ты в доме отца? Все нормально?»

«Все отлично, не донимай», — напечатала я, отбросила мобильный в сторону, приглушив звук, но на дисплей все-таки поглядывала, боясь пропустить звонок от Ильи, хотя маловероятно, что он позвонит так быстро. Илья действительно молчал, а Берзинь примерно через час предпринял еще одну попытку дозвониться во что бы то ни стало. Двадцать семь звонков — отличная демонстрация серьезных намерений. Пришлось вновь писать СМС. Лаконичное: «Идиот».

«Ты у отца? — спрашивал он. — Я сейчас приеду».

«Вот уж некстати», — подумала я и ответила: «Я отъехала ненадолго вместе с папой».

Ложь во спасение, считай, и не ложь вовсе.

«Немедленно напиши, где вы».

Ну, уж, дудки.

«Позвоню, как только освобожусь. — И, поразмышляв, добавила: — Ты мне нравишься почти. Главное — не доставай. Твоя навеки, Нюська».

Ответное СМС не заставило себя ждать.

«Нюся+Леня=любовь до гроба».

Вот и ладненько, теперь можно посидеть в тишине.

Я вернулась к Светлане Петровне, и мы совместными усилиями обнаружили номер то ли Груздева, то ли Гринева в ее мобильном. Я попробовала по этому номеру позвонить и получила ответ: «Номер в сети не зарегистрирован», что укрепило меня во мнении: Светлана Петровна, скорее всего, права и он никакой не мент. Узнать, что это за тип, захотелось еще больше.

Вдруг позвонил Илья. Говорю «вдруг», потому что звонка раньше завтрашнего дня уже не ожидала, я имею в виду, звонка по поводу мента, другие поводы меня интересовали мало. Я ответила, думая при этом: не лучше ли, как и в случае с Берзинем, обратиться к эпистолярному жанру? На сей раз голос Ильи звенел от возбуждения.

— Тебе повезло, — с места в карьер заявил он, и сердце забилось в предчувствии великих открытий. — Позвонил знакомому по поводу тачки... Зарегистрирована она, кстати, на Лапшина Олега Федоровича.

— И в чем везенье? Мента Михаилом Дмитриевичем зовут.

— Везенье в том, что мой знакомый об этом Лапшине наслышан. И ты послушай, а не перебивай. Ему тридцать восемь лет, бывший военный, из армии уволился довольно давно. История мутная и неприятная: то ли он у кого-то жену увел, то ли у него невесту. Кончилось мордобоем. Морду он набил старшему по званию, что делать не следовало, очень вредит карьере. В общем, его по тихой выперли на гражданку, а могли и посадить, в смысле, было за что.

— Может, мой мент у него машину взял? — предположила я. — Кстати, у этого Лапшина, случайно, нет шрама на щеке?

— Есть, — засмеялся Илья, очень довольный собой. — Приятель первым делом на шрам указал, отличная примета. Так вот, чем занимался Лапшин на гражданке, толком не ясно. То ли в охранниках ходил у какого-то бандита, то ли вообще был сутенером. А года четыре назад вдруг решил стать частным сыщиком. И получил лицензию.

— Это что, так просто?

— Не труднее, чем получить любую другую лицензию. Что у него за клиентура, мой приятель не знает, но, судя по всему, соответствовать идеалу российского полицейского он не особо стремится.

— Не у всех есть стремление, многие умудряются жить без него. Где находится его контора?

— Этого приятель не знает и сомневается, что она у него вообще есть.

— А домашний адрес?

— Тебе зачем? — насторожился Илья.

— Зайду к нему и спрошу, с какой стати он к домработнице подкатывал, — съязвила я.

— Адрес есть. Вопрос, живет ли он там или в другом месте.

— Ну так узнай. А пока диктуй адрес.

Он продиктовал, а я записала.

— Я могу с ним поговорить, — предложил Илья, правда, не особенно уверенно.

— Сомневаюсь, что будет толк.

— Тогда, может, есть смысл обратиться в полицию? На их вопросы он должен ответить.

— Но не обязательно чистосердечно. А писать заявление в полицию Светлана Петровна желанием не горит.

— Вот в это охотно верю. Что тогда?

— Возможно, обращусь к частному детективу, что работал на папу.

— Это, кстати, идея.

— Ага.

— Главное, сама никуда не лезь, — напомнил Илья.

— Золотое правило хомячков, — ответила я. — Спасибо. Будут новости, звони.

— А без новостей уже нельзя? — обиделся он. — Ты так и не сказала, что у вас с Берзинем. Встречаетесь?

— Где там. Наши графики трагически не совпадают.

— Тебя это расстраивает? — Теперь в голосе настороженность.

— Илюша, я еще годок-другой собираюсь повременить с любовью. Пока, пока.

Теперь следовало решить, что делать дальше. Появление частного сыщика не удивило, но путаницу вносило, хотя и без него особой ясности не было. С моим отцом он не связан, иначе зачем такие сложности, чтобы плащ получить. А вот насчет мамы ответ далеко не однозначен. «Эта женщина вовсе не моя мать, — напомнила я себе. — Но кому-то было нужно, чтобы я приняла ее за маму». Вслед за этим я вспомнила слова Берзиня по поводу отцовского алиби. Что, если частный детектив помог ему, например, найти женщину, похожую на мать, и уговорил ее сотрудничать, а теперь шантажирует отца? К сожалению, правдоподобно.

Я носилась по комнате, точно спаниель без поводка, а вскоре стало ясно: оставаться в четырех стенах невыносимо. Я решила отправиться к Лапшину.

«Просто взгляну на него», — мысленно заявила я, неизвестно кого пытаясь обмануть. Постараюсь сфотографировать и перешлю фото Светлане Петровне, чтобы убедиться: это действительно он.

Для начала я покопалась в интернете и довольно быстро обнаружила Лапшина. Род деятельности он обозначил, словно какой-нибудь психолог: «Решение семейных проблем». Похоже, офиса у него нет, по крайней мере, адрес не указан, только мобильный телефон. Он имел мало общего с тем, по которому Лапшин звонил домработнице. Осторожный дяденька. Я едва не поддалась искушению ему позвонить, придумаю семейную проблему, а при встрече спрошу ни с того ни с сего: «Вам зачем плащ моей мамы понадобился?» Впрочем, «ни с того ни с сего» вряд ли получится. Нашей семье он наверняка время уделил и меня узнает.

Отключив компьютер, я отправилась на первый этаж. Светлана Петровна, закончив работу, ушла, я вызвала такси и вскоре уже была на другом конце города, точнее сказать, в пригороде, где находилась улица Пионерская. Здесь Лапшин, предположительно, жил.

Я попросила водителя остановиться в начале улицы, далее предпочтя следовать пешком. Улица была застроена частными домами, на вид весьма скромными, некоторые вообще походили на деревенские.

Дом Лапшина выглядел вполне прилично. Из белого кирпича, одноэтажный, под красной крышей из мелкой черепицы. Вокруг дома низкий деревянный заборчик, давно не крашенный. В палисаднике буйство ромашек, дорожка от калитки к крыльцу, когда-то выложенная плиткой, успела зарасти, окна не мешало бы помыть. Судя по всему, Лапшин жил один, и вопросы эстетики его совсем не волновали.

На мое счастье, почти напротив его дома находился магазин, а рядом — детская площадка. Дети ее в тот день игнорировали, а я сразу облюбовала скамейку под липой, откуда и собиралась вести наблюдение.

Примерно через полчаса стало ясно: занятие это увлекательным не назовешь. Я начала ерзать и томиться, потом задалась вполне здравым вопросом: как долго я собираюсь здесь сидеть? Лапшин может явиться к вечеру, а может и вообще не появиться.

И тут в конце улицы показалась машина. «Рено» серого цвета. Я вытянула шею и замерла. Так и есть, номера совпадали. Машина остановилась возле калитки, и из нее вышел мужчина в джинсах, кепке и темной ветровке с капюшоном. Взял с заднего сиденья рюкзак и направился к дому. Я успела сделать несколько фотографий, при увеличении разглядеть его физиономию можно, правда, шрам на щеке не заметен. Я позвонила Светлане Петровне и переслала фотографию. Через пять минут она перезвонила.

— Похож, Аня. Только боязно мне, держалась бы ты от него подальше, уж лучше отцу все рассказать. Погонит меня, старую дуру, так мне и надо.

Я заверила ее, что к менту, который ментом вовсе не был, приближаться не собираюсь. Лапшин вдруг появился на крыльце, закурил. Кепку снял, волосы у него оказались темно-русые, длинные, почти до плеч. Докурив, он бросил окурок под ноги и пошел к машине, поглядывая на часы. Жаль, что я на такси приехала, могла бы отправиться за ним, хотя вряд ли это удачная идея, учитывая, что он бывший военный.

Мобильный завибрировал, я с неудовольствием убедилась, что это опять звонит Берзинь, вернула мобильный в сумку и продолжила наблюдение. «Рено» промчался мимо и вскоре скрылся с глаз. Я подумала, возможно, Лапшин живет совсем в другом месте, а сюда приехал кого-то навестить. С чего я так решила, ответить не берусь, но чем больше об этом думала, тем скорее готова была поверить в свою догадку. Что, если именно здесь находится женщина, так похожая на мою мать?

Я в трех шагах от разгадки, стоит только перейти дорогу. А если в доме не женщина, которая изображала маму, а она сама? Бред, конечно, но иногда и не в такое поверишь. Почему бы не осмотреть дом, пока Лапшина нет? По крайней мере, можно попробовать.

Оглядевшись, я перешла дорогу и толкнула калитку. Уже поднявшись на крыльцо, запоздало подумала: что, если женщина тут в качестве пленницы? Вполне возможно, ее охраняют, чтоб не сбежала. Те самые типы, что пытались меня похитить.

Я попятилась от двери и вновь огляделась. Не станут же они нападать средь бела дня? Я орать начну. Помнится, в прошлый раз напали. Это было в подворотне, а сейчас я на крыльце дома, где живет Лапшин. Нужны ему неприятности?

Я решительно надавила кнопку звонка, но от двери держалась подальше, надеясь в случае опасности дать деру. Звонила я раз пять. В доме тишина. Сколько я ни прислушивалась, не уловила ни звука и так расхрабрилась, что дверь подергала. Само собой, она оказалась заперта. Я спустилась с крыльца, хотела заглянуть в окна, но они были высоко над землей, к тому же сквозь тюлевые шторы вряд ли что увидишь. Моя вылазка ничего не дала, и это здорово нервировало.

Тут я обратила внимание на тропинку, которая огибала дом, надумала посмотреть, что имеется с той стороны, и вскоре обнаружила дверь в подвал. Она была приоткрыта. Возможно, в теплое время ее вообще не закрывали, чтобы подвал проветрить. Вниз вели три ступеньки. Я осторожно заглянула в помещение. Слева свалены какие-то инструменты, справа пластиковые бочки, а напротив еще одна дверь, наполовину застекленная.

Замирая от ужаса, я быстро подошла к двери. За ней была лестница, тоже в три ступени, и, кажется, кухня. Со своего места я видела холодильник с магнитиками на дверце. Повернула дверную ручку, она легко подалась, и дверь открылась.

— Эй! — крикнула я, шагнув на первую ступеньку. — Здесь есть кто-нибудь?

Тишина. Мне очень хотелось развернуться и бежать. Но еще больше хотелось попасть в дом.

Еще два шага, и я оказалась в довольно просторной кухне. В мойке свалена грязная посуда, в углу
на шкафу целый склад консервов, на обеденном
столе пакеты из кафе, где продают еду навынос. Не
сказать, что на кухне грязь, скорее беспорядок. Похоже на жилище одинокого мужчины, хотя далеко
не все женщины приверженцы чистоты.

В доме было три комнаты. Я заглянула в каждую
и убедилась: никого тут не держат. И огорчилась.
А надо бы радоваться, ведь запросто сама могла стать
пленницей. Здравый смысл советовал убираться отсюда поскорее, и я вернулась в кухню. На мгновение задержалась перед холодильником: два десятка
магнитиков, украшавших дверь, и две фотографии.
На одной Лапшин в компании девушки с длинными
темными волосами. Она выглядела намного моложе
его, голову положила ему на плечо и счастливо улы-
балась. Он тоже сиял от радости, шрам на щеке был
виден довольно отчетливо. На другой фотографии
та же девушка, но одна. Волосы собраны в пучок на
затылке, в больших глазах печаль. Это его подруга
или все-таки дочь? Никакого внешнего сходства, но
мы с папой тоже не похожи.

— Что вы здесь делаете? — услышала я и едва не
подпрыгнула.

На верхней ступени лестницы стоял Лапшин.
Должно быть, в армии его научили двигаться бес-
шумно: ни шагов, ни скрипа двери я не слышала.

— Как вы меня напугали, — пролепетала я.

— Что вы здесь делаете? — повторил он, а я подумала: Лапшин похож на пирата: длинные волосы,

густые брови, угрюмое выражение физиономии, да еще этот шрам.

— Я пришла поговорить с вами, дверь оказалась открыта, и я вошла.

— Вот как. У меня нет привычки уходить из дома, не запирая дверь на радость всякому ворью.

— Дверь действительно была открыта, — пожала я плечами.

— В полиции об этом расскажете.

— В полиции? — растерялась я.

— А вы как думали, милая девушка? Вы вломились в мой дом.

— Бросьте. Я почти уверена: вы нарочно не заперли дверь. Заметили меня? Вы, кстати, не в разведке служили?

— Любопытно, — хмыкнул он. — Откуда у вас сведения, что я служил?

Теперь Лапшин стоял в полуметре от двери, привалившись к стене. Можно попробовать сбежать, воспользовавшись дверью, которая ведет на крыльцо. Замок на двери английский и откроется легко. Вот только успею ли я это сделать? Полиции я не очень-то боялась, в крайнем случае расскажу им правду. Хотя не хотелось бы, конечно. В этом случае отец тоже обо всем узнает, а я пока не собиралась посвящать его в происходящее. Надеюсь, Лапшин понимает: если я заговорю в полиции, вопросы непременно и к нему возникнут.

— Знающие люди сообщили, — наконец ответила я.

— Вот как. Вы что же, собираетесь меня нанять?

— Я собираюсь задать вопрос: зачем вам понадобился плащ моей матери?

Он с задумчивым видом потер подбородок.

— Вас как зовут, прекрасное дитя?

— А вы не знаете?

— Не припомню, чтобы нас знакомили.

— Анна Гришина. Теперь припоминаете?

— Нет.

Он отлепился от стены и решительно направился в мою сторону, я слегка попятилась, вышло испуганно.

— Мобильный, — протягивая руку, сказал он. Я малость замешкалась, а Лапшин рявкнул: — Мобильный!

Я торопливо отдала ему телефон, теряясь в догадках, что он собирается делать. В самом деле полицию вызывать? А почему с моего мобильного?

Между тем он уткнулся в мой айфон, сурово хмурясь, поднял голову и сказал:

— Берзинь. Знакомая фамилия. «Нюся+Леня= любовь до гроба». Очень интересно.

Этот мерзавец читает мои СМС. Я хотела выхватить у него мобильный, то есть попытаться, а он поднес его к уху, сказав с кривой усмешкой:

— Леня нам, пожалуй, подойдет.

Берзинь ответил сразу.

— Это не Нюся, — сказал Лапшин. — Это человек, в дом которого она вломилась. Что значит вломилась? Проникла в подвал, а потом на кухню. Нет, я не шучу. Я намерен сообщить об этом в полицию. Но кое-что смущает. Девушка не похожа на воровку, хотя иного объяснения ее появления в моем доме я не нахожу.

Я закатила глаза, демонстрируя отношение к его словам, и громко сказала, чтобы Берзинь слышал:

— Звоните в полицию, я буду только рада.

— Оттого для начала решил связаться с вами, — продолжил Лапшин. — Возможно, мы договоримся. У вас есть полчаса, надеюсь, вам хватит этого времени, чтобы добраться сюда. — Он назвал адрес и добавил: — Да, и прихватите штуку баксов.

— Да с какой стати? — возмутилась я, когда он дал отбой. — Верните мобильный, я сама полицию вызову.

Лапшин сунул мой телефон в карман джинсов и указал на стул.

— Сядь и помолчи. Если не хочешь получить телесные повреждения.

— Вам будет нелегко доказать, что вы нанесли их в целях самообороны.

— Заткнись, — отмахнулся он, усаживаясь за стол. — Для твоего дружка невелики деньги, а я смогу свести концы с концами. — Тут он препротивно усмехнулся и головой покачал.

— Может, расскажете, зачем вам плащ понадобился? Накину еще тысячу.

— Я даже не понимаю, о чем ты. Предупреждаю в последний раз: заткнись. Я могу сделать очень больно, при этом никаких следов на твоем прекрасном теле не останется. Хочешь попробовать?

Почему-то я ему поверила. И пробовать не захотела.

Мне казалось, что полчаса длятся бесконечно долго, неудивительно, учитывая обстоятельства. На самом деле Лео уложился в двадцать минут. Я услышала, как подъехала машина, и выразительно взглянула на Лапшина. Он поднялся, молча взял меня за руку и повел к двери в конце коридора. Дверь скрывала штора, оттого я во время осмотра не обратила на нее внимания, решив, что там окно во двор. Оказалось, кладовка. Обыкновенная кладовка с полками вдоль стен, предназначенными, скорее всего, для припасов на зиму, а сейчас совершенно пустыми. Запиралась она на ключ.

Лапшин втолкнул меня в кладовку, ключ в замке повернулся, и я услышала удаляющиеся шаги. Потом хлопнула входная дверь. Мужчины разговаривали в прихожей, но слов не разобрать. Снова шаги, дверь распахнулась, и я увидела Берзиня в компании Лапшина. Лапшин довольно ухмылялся, Берзинь сурово хмурился.

— Идем, — сказал он, возвращая мне мобильный.

Его машина стояла возле ворот. Мы успели удалиться на приличное расстояние от дома Лапшина, а он все молчал. Впрочем, я была не против, чтоб он и дальше помалкивал, и сказала:

— Отвези меня домой.

— Чтобы ты еще какой-нибудь номер выкинула? Я тебя под замок посажу, — с трудом сдерживаясь, заявил он.

— Серьезно? Сколько он с тебя денег слупил? Тысячу долларов? Завтра верну.

— Прекрати! — рявкнул он. — Ты прекрасно понимаешь: дело не в деньгах. Ты меня обманула. Ты даже словом не обмолвилась об этом типе...

— Ты тоже не подарок. Врал про любовь, а на самом деле поспорил, что меня трахнешь.

— Ты теперь всю жизнь мне будешь об этом напоминать?

— Нет, только в редких случаях. Есть предложение: давай не будем прощать друг друга и разбежимся.

— Даже не мечтай, — буркнул он сквозь зубы, косясь на меня. — Что это за тип?

— Жаль, что этот вопрос ты ему не задал.

— Я пытался. Но он не особо разговорчив.

— Не поверишь, но я к беседам тоже не склонна.

Он так дал по тормозам, что машину слегка занесло. К счастью, в тот момент мы находились в переулке, особо не обремененном движением.

— Что происходит, черт возьми? Почему ты ведешь себя так по-дурацки? Врешь мне, вламываешься в чей-то дом... Тебе, кстати, не приходило в голову, что это уголовно наказуемо?

— Приходило, — кивнула я. — Но все мудрые мысли ко мне обычно являются с опозданием. Мы будем стоять или продолжим движение?

— Что ты от меня скрываешь? — глядя на меня с большим недовольством, спросил он.

— Ничего, — пожала я плечами.

— Прекрати врать! — Он опять повысил голос, и мне это очень не понравилось.

— Ты кто такой, чтоб на меня орать? — ласково спросила я. — Думаешь, я от твоего признания в любви раскисну и размякну, став твоей комнатной собачкой? Я тебе уже сказала: твое обаяние на меня не действует.

— Спасибо, милая. То, что я тебе на фиг не нужен, до меня уже дошло. А то, что тебе шею могли свернуть, тебя не волнует? Меня, к примеру, это сильно беспокоит. Извини, если сгоряча повысил на тебя голос, — закончил он с сарказмом.

— Эк тебя ломает за тысячу баксов, а вроде парень не бедный.

Я не успела договорить, он резко повернулся и, схватив меня за плечи, легонько тряхнул. Мгновение я была уверена, что он меня ударит, и замерла, уставившись в его глаза, в которых вдруг появились светлые блики, я не сразу сообразила, что вижу свое отражение в его зрачках.

— Зачем ты это делаешь? — тихо спросил он.

— Делаю что?

— Гонишь меня в шею, когда так нуждаешься в помощи. Это из-за отца? Боишься, что я воспользуюсь ситуацией?

— Боюсь, — кивнула я.

— Дурочка, — покачал он головой в большой печали. — Расскажи, что это за тип и почему ты вломилась в его дом.

Я тоже головой покачала, однако молча.

— Хорошо, — кивнул Берзинь. — Предлагаю сделку: твои сведения против моих. Я, кстати, за это время тоже кое-что успел.

— Ты первый, — сказала я.

— Я знаю, кто эта баба, изображающая твою мать. То есть я почти уверен — это она. И собирался к ней наведаться сегодня вместе с тобой.

Признаться, я растерялась.

— Но... как ты смог?

— Немного сообразительности, немного удачи...

— Не тяни, — взмолилась я, а он усмехнулся:

— Твоя очередь.

— Берзинь...

— В отличие от тебя, я слово держу.

Пришлось уступить. Пока я рассказывала, он то зубы стискивал, то головой качал в великой досаде.

— Даже не жди, что я теперь хоть на минуту тебя оставлю. Еще и отцу твоему позвоню.

— Только попробуй. — Для большей убедительности я кулак продемонстрировала.

— Ты понимаешь... — начал он и устало махнул рукой. — Не понимаешь...

— Хватит меня воспитывать. Лучше расскажи, кто эта женщина.

— Сестра Анастасии Лопахиной, — огорошил он.

— Девушки, что проходила практику у отца и чей труп нашли под мостом?

Вопрос, само собой, риторический, Лео кивнул.

— Увидев фото убитой Лопахиной, я подумал, что она похожа на твою мать. Ну а когда наводил справки, узнал, что сюда приезжала сестра на ее поиски. Старшая. У них разница в двенадцать лет. Ну и подумал... чем черт не шутит. Попробовал ее разыскать. Она не замужем, жила с матерью, пока та не умерла. Три недели назад дамочка вдруг спешно уволилась и покинула родной город. По бывшему месту работы сообщили: вроде бы в Москву уехала, за лучшей долей. Я решил проверить: может, не доехала она до Москвы. И оказался прав. Она здесь, в нашем городе. Снимает квартиру на окраине, нигде не работает. Зачем все эти перемены, скажи на милость?

— И когда ты все это успел? — с искренним изумлением ахнула я.

— Старался. Пришлось обратиться в детективное агентство в ее родном городе. А с рассказом не торопился, ждал, когда будет что рассказать. Кстати, в детективном агентстве деньги отработали сполна. И сообщили интересную деталь. По словам соседки, незадолго до отъезда Лопахиной-старшей, зовут ее, кстати, Альбина, у нее появился гость. Мужчина лет пятидесяти, очень импозантный. Она еще подумала: повезло бабе, солидного жениха отхватила.

«Три недели назад, — прикидывала я. — Примерно три недели назад папа был в командировке. Летал в Новосибирск на пару дней. Но что его могло связывать с этой Альбиной? Вдруг она действительно помогла ему с алиби? Но с какой стати, если к тому моменту ее сестра была уже убита? Деньги? Все дело в них? Или есть еще причина? Например, Альбина считала, что ее сестра погибла по маминой вине. Но, если верить Илье, сестра обратилась в полицию уже после исчезновения мамы. Обратилась — да, но узнать могла раньше. От моего отца?» В общем, по спине прошел холодок, и я спросила с вызовом:

— Ты на моего отца намекаешь?

— Давай у Альбины спросим, — сказал Берзинь. — Прямо сейчас, если застанем ее дома, конечно.

Он завел машину, и мы поехали.

Квартиру Лопахина снимала в новенькой высотке на окраине. Вид с верхних этажей открывался прекрасный. Со всем остальным хуже. Один магазин на весь район, и добраться сюда без машины совсем непросто. Подъездная дверь распахнута настежь, в некоторых квартирах еще шел ремонт. Лифт, как водится, не работал. Поднимаясь на четвертый этаж, я ворчала:

— Снять здесь квартиру — себя не любить.

— Зато платит сущие копейки. Опять же, тут на нее внимание никто не обратит. Вокруг ремонт, народ бродит толпами, и никому нет до соседей никакого дела.

Звонка рядом с дверью нужной нам квартиры не оказалось. Берзинь принялся стучать. Грохот стоял по всему подъезду, но открывать нам не спешили. Лео хмуро прислушивался, а я сказала:

— Идем. Ее здесь нет.

Однако, проявив завидное упрямство, он вновь стал барабанить в дверь. С тем же успехом. Это вызвало величайший гнев, и он так пнул дверь, что она внезапно открылась. Скорее всего, была не заперта, не мог же он выбить ее одним ударом.

В общем, дверь открылась с противным скрипом, а мы переглянулись.

— Пошли отсюда, — нерешительно сказала я, вдруг испугавшись.

Но Берзинь, распахнув дверь шире, уже шагнул в квартиру, громко позвав:

— Альбина!

Я пошла за ним, с тоской подумав: «Вряд ли она поспешит ответить, если недавний грохот оставил ее равнодушной».

Квартира была однокомнатной. В комнате на диване лежала женщина, укрывшись пледом, из-под него виднелась лишь макушка, волосы светло-русые с рыжиной.

«Это не она», — успела подумать я, но тут увидела парик, лежавший на спинке кресла. Темно-каштановый. Стрижка каре, которую в последние годы любила мама.

— Альбина, — замерев в нескольких шагах от дивана, вновь позвал Берзинь.

Увиденное ему явно не нравилось. Мне, кстати, тоже. Женщина не пошевелилась, не издала ни звука. В эти несколько секунд тишина в квартире была такая, что биение наших сердец слышалось совершенно отчетливо.

Берзинь подошел и решительно сорвал плед, сбросив его на пол. Лицо женщины было бледным и абсолютно отрешенным. Неживым. Она лежала, вытянув руки вдоль тела, голова чуть запрокинута назад. А я подумала, что теперь с коротким ежиком волос она мало похожа на мою мать, хотя сходство, конечно, оставалось. При таких данных умелый мастер без труда добьется удивительного сходства. И все-таки она не рисковала и появлялась в темноте либо держалась на почтительном расстоянии.

Размышляя об этом, я забыла о самом главном. Берзинь напомнил.

— Твою мать, — выругался он, я перевела взгляд на него, он вновь выругался и добавил: — Ее убили совсем недавно, около часа назад. Рука еще теплая.

— Убили? — повторила я.

— Должно быть, шею сломали.

Если на меня находка произвела гнетущее впечатление, то Берзинь, казалось, и вовсе не в силах поверить в такое. Он был поражен, но вовсе не испуган. Я потянулась за мобильным, он перехватил мою руку.

— Надо позвонить в полицию, — сказала я, заподозрив: он попросту не понимает, что делает.

— Нет, — отрезал он, настроен, кстати, был весьма решительно. — Лучшее, что мы можем сделать, — поскорее убраться отсюда.

— И оставим ее здесь?

— С собой возьмем. Извини. Ей мы ничем не поможем, — заговорил он мягче, — а неприятностей огребем лопатой.

— Не знаю, что ты имеешь в виду...

Договорить я не успела, держа меня за руку, Лео направился к входной двери. Вскоре мы уже были в машине и спешно покинули двор.

— Мне не нравится, что мы сбежали, — сказала я.

— Мне тоже. Лично у меня на это есть очень серьезная причина.

— Какая?

— А ты не догадываешься?

— Ненавижу твои дурацкие недомолвки.

— Подозреваю, что мои слова понравятся тебе еще меньше.

— Теряюсь в догадках, что ты имеешь в виду.

— Вполне возможно, что эта баба — алиби твоего отца. Не успели мы выйти на нее, как она уже лежит со свернутой шеей. Я узнал ее адрес чуть больше часа назад, примерно тогда ее и убили.

Я сидела и хлопала глазами. То, что он пытался донести до моего сознания, в моей голове упорно не укладывалось.

— Ты спятил, — наконец ответила я. — Хочешь сказать, это мой отец... Останови машину, сволочь...

— Прекрати, — рявкнул он. — Если б я хотел засадить твоего отца за решётку, вызвал бы ментов, рассказал о том, что узнал от тебя и раскопал сам, и большие проблемы ему были бы обеспечены. Вместо этого я выслушиваю твои оскорбления и, скорее всего, наживаю неприятности, потому что если кто-то обратил на нас внимание... Дальше продолжать?

— Тогда нам лучше вернуться и позвонить.

— Кому здесь плевать на родного отца? Нюська, я не утверждаю, что он виноват. Но именно так, скорее всего, решат товарищи в погонах.

— Для этого как минимум нужны доказательства.

— Главное, что всё отлично складывается в приемлемую версию.

— Альбина была связана с типами, что пытались схватить меня. По-твоему, они действовали по приказу отца?

Для меня подобное было абсолютно невероятным, но Лео лишь усмехнулся.

— Допустим, твоему отцу не понравилось, что ты везде суёшь свой нос, и он решил тебя ненадолго изолировать. Я этого не утверждаю, милая, но подобная мысль, вполне возможно, явится следователю.

— Мне надо поговорить с отцом, — твёрдо сказала я.

Лео в досаде покачал головой.

— Послушай меня, я должен встретиться с одним человеком и решить, как действовать дальше, если вдруг полицейские выйдут на нас. Но я не в состоянии всем этим заниматься, зная, что тебе грозит опасность. Очень прошу, дай мне немного времени, просто пережди несколько часов в моей квартире. Я уже говорил, о ней практически никто не знает.

— Почему бы нам не заняться всем этим вместе? — нахмурилась я.

— Потому что я не хочу и не буду тобой рисковать.

— То есть ты в разведку, а мне дома сидеть?

— По-моему, разумно. Мужчина обязан защищать свою женщину.

— Не увлекайся, я вовсе не твоя женщина.

— Это ты так считаешь. У меня другое мнение.

Своего он, конечно, добился. Зародил в душе сомнения. Теперь возразить ему значило быть упрямой дурой, на которую доводы разума не действуют. Я бы, конечно, предпочла ехать с ним, но, похоже, на такое рассчитывать не приходится.

— Ладно, — неохотно кивнула я. — Поехали.

— Спасибо, — без тени иронии заявил он.

На светофоре мы свернули и вскоре оказались возле небольшого трехэтажного дома в тихом переулке. Территорию окружал кованый забор с видеокамерами по периметру. В подземный паркинг попасть с улицы можно через ворота, которые открывались с пульта. Через минуту мы уже были там. Я заметила спортивную тачку Лео, ту самую, с открытым верхом. Место рядом пустовало. Оставив там машину, мы на лифте поднялись на второй этаж.

Я попыталась представить тайное жилище Лео, думая с неприязнью: небось, девок сюда таскает. Кровать гигантских размеров, наверняка круглая, и торжество дурного вкуса — зеркало на потолке, чтоб любоваться собственным отражением.

Оказалось, со вкусом у Берзиня проблем нет. Квартира, безусловно, принадлежала мужчине, но поражала она не величиной и богатством отделки, а отличной работой дизайнера. Удобно, стильно и ничего лишнего.

Я прошлась по кухне-гостиной. Черное дерево, угольного цвета камень, белые стены, глянцевая плитка под ногами. Кажется, что идешь по водной поверхности, а под ней скрыты темные глубины.

— Класс, — не удержалась я, а Лео улыбнулся.

— Рад, что тебе понравилось. Моя работа.

— В каком смысле?

— В буквальном. От замысла до воплощения. Иногда люблю руками поработать. Это вроде медитации. Кстати, ты здесь первый гость.

— Удивил, — покачала я головой. — А как же многочисленные подружки?

— Для этого есть другая квартира. Я уже говорил, что мои победы на любовном фронте сильно преувеличены?

— Да я и сама сообразила. Ты всегда один: в посте и молитвах.

— Надо полагать, это ирония?

— Типа того. Ты когда-нибудь влюблялся?

— До встречи с тобой — ни разу. Честно говоря, и не собирался. Но в таких делах от нашего желания мало что зависит. Решил Господь наказать за грехи и тебя подсунул.

— Кому кого подсунули — еще вопрос. Ладно, ты вроде бы торопился.

— В холодильнике что-нибудь найдется перекусить, а я захвачу еды из ресторана. Будет отлично, если ты начнешь скучать по мне уже через пять минут.

— Через минуту. Ключи оставь.

— Зачем? — тут же нахмурился он.

— Затем, чтобы не чувствовать себя на гауптвахте. Мужчина с серьезными намерениями не боится доверить девушке ключ от своего жилища.

— Нюська, очень прошу, не добавляй мне трудностей, — достав запасные ключи из ящика шкафа и протягивая их мне, сказал он.

— Сегодня меня зовут Пенелопа. Да, и постарайся не изводить меня звонками.

Он вышел из квартиры, а я закрыла за ним дверь.

Еще с полчаса я любовалась интерьером и даже заглянула в холодильник. С голода точно не умру. Очень скоро выяснилось: свои возможности я переоценила, верной Пенелопы из меня точно не выйдет. Потому что стало ясно: мне необходимо поговорить с отцом. И чем скорее, тем лучше. Разговор этот, если честно, пугал. Однако я решила его не откладывать. Подхватила с консоли ключи и покинула квартиру.

Входя в лифт, я увидела мужчину лет сорока, он улыбнулся мне и спросил:

— Вы подруга Лео?

— Как посмотреть. Мы не очень ладим, война полов и все такое.

Мужчина, судя по светящейся кнопке с обозначением паркинга, спускался именно туда, а я подумала: Лео мог предупредить консьержа, и тот сообщит ему о моем уходе. В таких домах консьержи глазастые и всех жильцов отлично знают.

— Не подбросите меня пару остановок? — спросила я.

Я намеренно не стала уточнять, в какую мне сторону. Мужчина с готовностью кивнул:

— Конечно.

Сосед ездил на «Мерседесе», из вереницы стоявших здесь машин на вид самом скромном. И был не прочь поболтать.

— Раньше я его девушек не видел, — сказал он, поглядывая на меня, когда мы благополучно покинули паркинг.

— Может, он их под парней маскирует? — предположила я.

Мужчина засмеялся.

— Парней тоже не видел. Удивлялся, что мужчина его возраста живет отшельником.

— Он коноплю в ванной выращивает, вот и не любит гостей.

Мужчина вновь засмеялся, а я сказала:

— Остановите здесь, пожалуйста.

Он затормозил, я вышла, поблагодарив и пожелав ему хорошего дня.

До родительского дома добралась на такси. Гараж был открыт, папа в спортивном костюме перетаскивал какие-то коробки.

— Ты уже дома? — крикнула я.

Папа еще минимум часа два должен быть на работе, за это время я надеялась подготовиться к разговору.

— Приехал пораньше, — ответил отец. — Решил наконец-то в гараже разобраться. Кстати, в коробках твои игрушки. Мама запретила их выбрасывать.

Я открыла одну из коробок. Цветные медведи и зайцы, с которыми я когда-то делила комнату.

— Надо отвезти в какой-нибудь детский сад, — сказала я.

— Может, что-то оставишь? Самое любимое?

— Для плюшевых медведей возраст у меня, пожалуй, неподходящий.

— Передашь своим детям.

— Современные детишки предпочитают гаджеты. А это что? — кивнула я на одну из коробок. Черным фломастером маминым почерком на ней было написано «бабушка».

— Не знаю, — вроде бы удивился папа. — Открой, посмотри.

В коробке, как оказалось, лежали вещи, оставшиеся от прабабки. Те, которым не нашлось места в доме, но выкинуть их мама не решилась. Сверху лежал календарь из светлого металла с надписью «Ленинградский монетный двор», а еще спутник Земли, сувенир аж 1957 года, сделанный из пластика. Повертев его в руках, я поняла: это еще и музыкальная шкатулка. Механизм работал исправно. Услышав мелодию «Широка страна моя родная», я невольно улыбнулась.

У папы зазвонил мобильный, он ответил и поспешил покинуть гараж. Вскоре вернулся, успев переодеться за это время, теперь на нем был привычный деловой костюм, правда, без галстука.

— Мне надо уехать ненадолго, — сказал отец, он выглядел не то чтобы хмурым, скорее сосредоточенным.

А у меня, как говорится, сердце екнуло. Несколько часов назад произошло убийство женщины, с которой мой отец был знаком. Он в середине рабочего дня вдруг решил в гараже разобраться, а после телефонного звонка спешно уезжает.

— Что-то случилось? — испуганно спросила я.

— Встреча, которой я надеялся избежать, но... Дождешься меня?

— Да, конечно.

Папа уехал, а я вздохнула: то ли с досадой, то ли все-таки с облегчением. Подхватила коробку с надписью «бабушка» и вошла в дом.

Подниматься в свою комнату не стала, устроилась в гостиной, решив в ожидании отца заняться семейными реликвиями. Кроме спутника и настольного календаря, в коробке лежали две вазочки, пластмассовый орел странноватого зеленого цвета, слоны в количестве шести штук разного размера, коллекция наперстков и карандашница в виде колхозницы со снопом пшеницы в руках. Жестяная коробка из-под чая, совершенно пустая, непонятно, зачем ее сохранила мама. А под коробкой ридикюль, изрядно потрепанный, без ручки, кожа по углам успела вытереться и порыжеть.

В ридикюле лежали документы. Первым я извлекла военный билет моего прадеда. Насколько я знаю, он умер рано, не дожив до пятидесятилетнего возраста. Прабабушкин диплом об окончании техникума, донорская книжка, свидетельство о том, что она закончила курсы машинисток, и, наконец, свидетельство о ее смерти. Прабабушку я совсем не помню, что неудивительно, учитывая, что была тогда младенцем.

Я продолжила перебирать бумаги, которых оказалось довольно много, пока не наткнулась на свидетельство о рождении Бабаевой Татьяны Витальевны. Девичья фамилия моей мамы Ославская, это я знала совершенно точно. Имя, отчество ее, как и дата рождения. Мать — Бабаева Зинаида Сергеевна, отец — Бабаев Виталий Валерьевич. Выходит, мама взяла фамилию деда, отказавшись от отцовской фамилии. Когда и с какой стати? Странно, что я не задалась этим вопросом, навещая вместе с мамой могилу прабабушки. На камне фамилия Ославская, а я знала, что она бабушка по матери, значит, с мамой у них должны быть разные фамилии.

Я еще раз самым тщательным образом просмотрела все документы, надеясь решить эту загадку. Никаких намеков. Мама родилась Бабаевой, а потом почему-то взяла девичью фамилию своей матери. До аварии или после? Может, не было никакой аварии? То есть была, конечно, но погибла в ней только моя бабка, с мужем они к тому моменту уже развелись, и она вернула себе девичью фамилию. Себе и своей дочери? Если так, то развод, скорее всего, был бурным. Так мой дед погиб или нет?

Я взяла мобильный и набрала номер папы.

— Извини, что беспокою. Я тут копаюсь в семейных реликвиях, и у меня вопрос: почему у мамы бабушкина фамилия? А не фамилия ее отца?

— Честно, не знаю, мы об этом никогда не говорили. Но, думаю, все просто: ее отец не был женат на ее матери.

— У меня в руках свидетельство о рождении мамы. И здесь у нее фамилия Бабаева.

— В самом деле? Странно. Выходит, она ее зачем-то сменила? Вряд ли сама мама, должно быть, ее бабушка.

— То есть тебе об этом ничего не известно?

— Ничего.

— А что мама говорила о родителях?

— Они погибли, когда ей было одиннадцать лет. Автокатастрофа. Ехали с дачи поздно вечером. Мама оставалась у бабушки, они в театр ходили... В детали мама никогда не вдавалась, и я не расспрашивал, видел, что говорить об этом ей тяжело. После их гибели мама со своей бабушкой переехала сюда, к какой-то родственнице, о ней я ничего не знаю. Кажется, она умерла через несколько месяцев после этого. А когда тебе было полгода, и Марию Платоновну похоронили, сердечный приступ, смерть ее была полной неожиданностью.

— А на могилу маминых родителей ты когда-нибудь ездил?

— Нет, — ответил папа после легкой заминки. — Пока была жива Мария Платоновна, мама ездила с ней, обычно на Пасху. А потом одна. За могилой ухаживали, мама об этом всегда заботилась, переводила деньги... Но ты же знаешь, как она была занята, ездить регулярно не получалось.

— Папа, а полицейские после исчезновения мамы этой аварией интересовались?

— С какой стати? — удивился он. — Это было сто лет назад. Да и каким образом это может быть связано?

«Неужто никто не обратил внимания на эти странности? — промелькнуло в голове. — Ни полиция, ни сыщики, нанятые папой? Конечно, не обратили, ведь папа об автокатастрофе не упомянул ни разу, уверенный, что гибель родителей моей мамы просто не может быть связана с ее исчезновением?»

— Я, наверное, тебя не дождусь, — сказала я. — Хочу встретиться с подружкой.

На самом деле подружки меня в тот момент совсем не интересовали. Убирая документы в ридикюль, я думала: теперь даже сам факт аварии вызывает сомнения. Ребенку меняют фамилию, увозят в другой город... Этому должна быть причина.

Я набрала номер Ильи.

— Привет, — сказал он. — Есть новости? Собирался тебе звонить...

«Собирался, да не собрался», — ехидно подумала я. Да, наши чувства полыхают, как костер, а вслух сказала:

— Попытайся хоть что-то узнать о Бабаеве Виталии Валерьевиче и Бабаевой Зинаиде Сергеевне. — Я продиктовала данные, почерпнутые из найденных документов, и спросила: — Сделаешь?

— Чем тебя вдруг эти пенсионеры заинтересовали? — удивился он.

— Потом расскажу. Но это очень важно. Помни об этом.

— Надеюсь, мои труды будут вознаграждены.

— Как всякое доброе дело.

Странно, но обнаруженное свидетельство о рождении моей матери и вопросы, которые теперь возникли, произвели даже большее впечатление, чем убийство Альбины Лопахиной.

Торопливо сложив вещи в коробку, я отнесла ее в свою комнату и решила вернуться в квартиру Берзиня.

Тут и он объявился. Звонок застал меня на выходе из дома.

— Чем занимаешься? — спросил Лео, а я ворчливо ответила:

— Катаюсь на воздушном шаре.

— Я серьезно.

— Так и я не шучу. Чем можно заниматься в чужой квартире?

— Потерпи, я скоро вернусь.

— Думаешь, будет лучше? Кстати, как твои дела?

— О девице пока никому не известно.

«Он сказал «о девице», а не о трупе», — машинально отметила я.

— Это хорошо или плохо?

— Пожалуй, хорошо. Успеем разобраться в ситуации.

— Удачи. Я-то вряд ли в чем разберусь, сидя здесь.

Консьерж, завидев меня, заметно растерялся, это лишь подтвердило мою догадку, что Лео поручил ему приглядывать за моими перемещениями. Интересно, он кинется звонить, едва я войду в лифт? Кинулся. Двери лифта закрывались, а когда я нажала соответствующую кнопку, они открылись вновь: рука консьержа тянулась к телефону.

— Не звоните ему, — ласково попросила я. — Он расстроится.

Мужчина отдернул руку, точно коснулся чего-то горячего, и кивнул.

Устроившись на диване в гостиной, я предалась размышлениям, в который раз задаваясь одними и теми же вопросами. Берзинь сказал, полиции о трупе еще не известно. Неудивительно, если мы о нем не сообщили. Убийце это тем более ни к чему. Альбина появилась в этом городе после того, как у нее побывал в гостях представительный мужчина. Знать бы, кто это. Берзинь почти уверен — мой отец. С моей точки зрения, полная чепуха. Даже если исходить из того, что Альбина помогла ему с алиби (всерьез допускать такое я отказывалась), какого рожна отцу тащить ее в наш город? Для него лучше, если она останется за четыреста километров и здесь больше никогда не покажется. Допустим на секунду, что Лео прав. Что за причина могла заставить отца поступить подобным образом? Намерение свести меня с ума? И получить наследство? Учитывая, что я на него не претендую, овчинка выделки не стоит. Если не отец, то кто? Ясное дело: его недруги. Устроили весь этот спектакль, а потом избавились от девушки. Почему? Узнали, что Берзинь напал на ее след? Допустим. Но если их целью был мой отец, точнее, его деньги, то они зашли чересчур далеко. Убийство — это убийство. Причем, с моей точки зрения, совершенно бессмысленное. Если, конечно, Альбина не знала нечто такое, что необходимо было скрыть любой ценой. Из-за чего люди способны пойти на убийство? Например, чтобы скрыть другое преступление. Возможно, Лео прав, и девушка действительно была чьим-то алиби. Не моего отца, а кого-то другого. Вот только кого?

Гадать можно до скончания века. Лапшин совершенно точно связан с Альбиной, значит, мог бы просветить меня, но вряд ли захочет. А вот отвечать на вопросы следователя ему придется. Так какого черта я послушала Лео и не позвонила в полицию? Я бы позвонила, будь у меня уверенность: отцу это не повредит. Но я своими глазами наблюдала за его встречей с Альбиной. И он дал ей денег. Как ни крути, а выглядит подозрительно.

Чем больше я об этом думала, тем большую беспомощность ощущала. Никаких догадок, а следовательно, и шансов этот клубок распутать. Одна надежда, что Илья поможет внести хоть какую-то ясность.

Я покосилась на мобильный, который лежал под рукой, испытывая сильнейшее искушение позвонить другу детства. Но, хорошо его зная, я не сомневалась: будь у него новости, он бы сам уже позвонил. Оставалось только ждать. Немного побродив по квартире, я решила принять ванну. Водные процедуры успокаивают.

Ванная комната площадью не менее двадцати метров была выдержана в белых тонах. Спутать ее с операционной не позволяло джакузи и хрустальные светильники фиолетового цвета. Я щелкнула выключателем, и помещение залил мягкий свет. По потолку вдруг поплыли облака, и заиграла музыка. Не поверите, это была флейта.

— Круто, — пробормотала я. — Это он так выпендривается?

Однако, если верить соседу, к Лео народ толпой не валил. Делаем сразу два вывода: щелкнув выключателем, я привела в движение какой-то механизм с нужной функцией, а на моем жизненном пути встретился большой оригинал с тонкой душевной организацией. А говорили — отморозок.

Я пустила воду. Поглазев по сторонам, обнаружила пульт и немного с ним поразвлекалась. Дважды произнесла «Офигеть», а потом забралась в ванну. Мобильный на всякий случай держала под рукой. Надо отдать должное задумке Лео: обстановка успокаивала. Настраивала на позитивный лад. Где, мол, наша не пропадала, и здесь как-нибудь прорвемся. Потом пошли мысли философские: все суета сует и затеи ветреные. Затем позвонил Илья. Я уже почти слилась с астралом, но отреагировала моментально, схватила мобильный и, откашлявшись, сказала:

— Да.

— Нюська, что за хрень? — сурово осведомился Илья, означать это могло что угодно, и я решила не тратить время на наводящие вопросы:

— Просто скажи, что ты узнал...

— «Просто скажи...» — передразнил он. — Очень любопытно, с чего ты вдруг заинтересовалась этим маньяком?

— Почему маньяком? — растерялась я.

— Хорошо, не маньяком, серийным убийцей... так лучше?

— Бабаев — серийный убийца?

Я поймала себя на том, что ору в трубку, а внутренний голос услужливо шептал: вот и ответ, почему мама со своей бабушкой покинули город, и со сменой фамилии теперь все ясно.

— Жену он тоже убил?

— Ага. На этом, собственно, и погорел. Теперь твоя очередь удовлетворить мое любопытство. Что за интерес к маньяку?

«Кому маньяк, а кому родной дедушка», — хотела ответить я, но заподозрила: шансы выйти замуж стремительно движутся к нулю, так что Илюху стоит поберечь.

— Очередное сообщение от неизвестного, — соврала я.

— Просто имена и ничего больше?

Илья был явно озадачен.

— Ничего. Догадайся, мол, сама. Вот я теперь и гадаю: какое имеет ко мне отношение этот маньяк.

— Наверняка идиотская шутка, вот и все.

«Да уж не до шуток, — вновь подумала я. — Уже и труп имеется».

Но маньяк произвел впечатление ни с чем не сравнимое. Одна надежда, что моя бабка была женщина свободных нравов и родила маму от кого-то другого. Во мне кровь серийного убийцы... Вот так подарок.

Тут в голове щелкнуло: а вдруг это передается генетически?

— Ты меня слышишь? — позвал Илья.

— Слышу. А ты мог бы поподробней узнать об этом типе? Где он сейчас, к примеру?

— Учитывая, когда это было, от мужика и костей не осталось. Как юрист я испытываю чувство стыда, но, если честно, не помню, когда вступил в силу мораторий на смертную казнь.

— То есть Бабаева расстреляли?

— Скорее всего, да. Либо заменили пожизненным.

— И он до сих пор в тюрьме?

— Теоретически возможно. Не такой уж он и старый... Но маловероятно. Тюрьма для пожизненно осужденных — это не санаторий. Вряд ли там протянешь сорок лет.

— И все-таки ты бы мог узнать поточнее?

— Хорошо. Но моей фантазии не хватает представить, какое это может иметь отношение к твоей матери.

«Моей бы тоже не хватило», — подумала я и поспешила с ним проститься.

Нырнула в воду с головой, точно это могло помочь избавиться от ужаса при мысли о том, чья я внучка. Мои бабушка с дедом не погибли в автокатастрофе, бабушку убил муж-маньяк, и мама предпочла посещать могилу своей матери одна, дабы ни у мужа, ни у дочери не возникло вопроса: а где вторая могила? Да и вряд ли маму тянуло в родной город...

Зато кто-то наверняка подумает о тяге другого рода: лишать жизни себе подобных, таким образом решая свои проблемы. Например, разделаться с любовницей мужа, а потом скрыться, боясь наказания.

Но как же все остальное? Сестра убитой девушки и ее недавняя смерть? Или мама заодно и с ней разделалась?

Я совершенно серьезно стала вспоминать: не было ли случая, когда мне хотелось кого-то убить? Берзиня недавно. Но это же глупость. Или уже нет? Лео был прав: далеко не все тайны следует знать.

Я лежала с закрытыми глазами, пытаясь избавиться от мыслей вообще и о кровном родстве в особенности, когда дверь распахнулась и в ванной появился Лео. Увлеченная нравственным самоистязанием, я не услышала, как он вошел в квартиру, однако почувствовала его присутствие за секунду до того, как он открыл дверь. В другое время я бы окатила его водой или хотя бы взвизгнула, но сейчас сил на это попросту не было, и я сказала сурово:

— Убирайся.

— Вот глобальная разница между нами, — усмехнулся он, устраиваясь на бортике ванны. — Если бы я лежал голый, а ты вдруг вошла, я бы не стал тебя гнать. Напротив, обрадовался и даже предложил ко мне присоединиться.

Положим, голой он меня не видит, раз я лежу в мыльной пене, но ситуация все равно показалась напряженной, и я повторила:

— Убирайся.

— Понял, — вздохнул он и вышел с грустной миной.

Я решила не задерживаться и вскоре покинула ванную в белом махровом халате, которым пользовался сам хозяин. Рукава пришлось подвернуть, а пояском я могла бы обвязаться минимум дважды.

Берзинь сервировал стол, перекладывая в тарелки еду из контейнеров. В центре стола горела свеча, рядом с приборами бокалы для вина.

— Есть что праздновать? — ворчливо осведомилась я.

— Ты у меня в гостях, — ответил он. — На этом фоне меркнут все неприятности: большие и маленькие.

— Я бы сказала: большие и очень большие.

— Мы все преодолеем, милая.

— Тогда пойду переодеваться.

— Не стоит. Ты восхитительна в этом халате. И то, что ты одета по-домашнему, настраивает на оптимистичный лад. Я могу помечтать, что отныне так будет всегда. — Тут он закатил глаза и закончил неожиданно: — Блин, эдак я скоро стихи начну писать.

— Берзинь, — сказала я, устраиваясь за столом. — На меня твои подкаты не действуют.

— Да я вижу. И это меня безмерно огорчает. Что я должен сделать, чтобы ты взглянула на меня с интересом?

— На самом деле интерес, безусловно, есть. Но он совсем иного свойства.

— Час от часу не легче. И что это за интерес такой?

— Давай не будем портить наш скромный семейный ужин, — предложила я и взяла бокал, в который он успел налить красное вино. — За что пьем?

— За тебя, конечно, — улыбнулся Лео. — За умную красивую девушку. Я бы предпочел, чтобы она не была такой язвительной, насмешливой и колкой.

Но тогда она не была бы сама собой. А мне нужна именно она, и никто другой. Так что продолжай оттачивать на мне свое остроумие, а я уж как-нибудь потерплю.

— Столь откровенная лесть заставляет меня быть еще осмотрительней.

— Мне по-любому ничего не светит, так хоть оторвусь на комплиментах, — пожал он плечами, и мы, наконец, выпили.

«По-любому ничего не светит» вовсе не передавало мое ви́дение ситуации на тот момент. На самом деле мне очень хотелось прикорнуть на мужском плече, и чтобы его обладатель сказал при этом: «Милая, наплюй на все тайны, ДНК и хромосомы, на наследственность тоже наплюй. У тебя есть я и бесконечное счастье в перспективе». Не будь этой дурацкой вражды между семействами, я бы, наверное, кинулась ему в объятья. Ну не вышло бы бесконечного счастья, так хоть бы удовольствие получила. Но подозрения в возможном коварстве отравляли все. Приходилось констатировать: Джульетты из меня не выйдет. То ли она была чересчур наивна по малолетству, то ли я пессимистична не по годам, но внутренний голос шептал: «ничего не выйдет», при этом вытирал слезы и истерично всхлипывал.

— Полная задница, — сказала я своему внутреннему голосу, а получилось — Берзиню.

— Ты сейчас о чем, милая? — ласково осведомился он.

— О ситуации в целом, — вздохнула я.

— От чего особенно на душе свербит?

— От тебя. Я воспользовалась твоей ванной, надела твой халат и выпила немного вина, а чувство такое, словно Родину предала.

— Ясно, — кивнул он и в унисон моим мыслям принялся цитировать, что, признаться, произвело впечатление: не каждый «самодовольный придурок» вспомнит великого Шекспира, да еще обожаемых мною Ромео и Джульетту.

В общем, Берзинь цитировал:

— Отринь отца иль имя измени? — но с вопросительной интонацией, что шло вразрез с классической трактовкой, а я, тая и млея, думала: «Нет, лжет молва: он вовсе не конченый засранец, а человек с тонкой душой, способный на истинные чувства».

Лео между тем, раскинув руки в стороны, продолжил:

— «Или меня своею сделай, чтоб Капулетти больше мне не быть», — усмехнулся и добавил: — Чрезвычайно мудрый совет, оттого этот пассаж мне особенно нравится.

Мне, кстати, тоже. Любовь превыше всего и так далее... Но тут вновь заныл внутренний голос, точнее, запищал едва слышно: «Дура, тебя охмуряют».

Я поспешно поднялась и сказала:

— Умники рекомендуют ужин отдать врагу, а у меня, кстати, и аппетит пропал. В знак признательности за гостеприимство готова вымыть посуду, когда ты закончишь. А пока скажи, где я могу устроиться на ночлег.

— В моей спальне, — ответил он и тоже поднялся. — Разумеется, без меня, о чем я очень сожалею. Лягу на диване в гостиной.

— Давай без жертв.

— Какие жертвы? Диван — прекрасное место, куда лучше ступенек в подъезде.

Я сделала шаг, и он сделал.

— Когда ты сердишься, глаза у тебя темнеют, — сказал Лео. — У тебя необыкновенные глаза.

Очередной комплимент мне на погибель.

— Глаза как глаза, — пробурчала я.

Берзинь сделал еще шаг, и я оказалась в его объятиях.

«Не поддавайся», — нудил внутренний голос, но мои руки уже сомкнулись на шее Берзиня, а его губы на моих губах, и я мысленно ответила в большой досаде: «Да пошел ты...» И внутренний голос обиженно замолчал.

А вот Лео в перерывах между поцелуями заливался соловьем, я потеряла остатки разума и халат, а он почти всю свою одежду, а также намерение, будучи истинным джентльменом, не пользоваться ситуацией. Переход до спальни вышел коротким, но незабываемым.

— Что ты там говорил о любви? — на всякий случай спросила я с невинным желанием подпортить человеку момент триумфа, но он со всем жаром заявил:

— Я люблю тебя! — И отступать было поздно.

Внутренний голос, всерьез обидевшись, в ту ночь не досаждал, но беспокойство от этого отнюдь не исчезло. К утру оно даже увеличилось. К безусловным достоинствам Лео, которые видны невооруженным глазом, прибавились те, что скрыты от ши-

рокой общественности, но о которых я, признаться, догадывалась, а теперь воочию убедилась: они
есть, да еще какие. И стало ясно: спокойной жизни
в комплекте не предусмотрено. Охотницы на такое
сокровище всегда найдутся.

— Не могу поверить, что ты рядом, — с улыбкой
произнес Лео, глядя мне в глаза. — Думал, мне еще
долго на стену кидаться.

— Ну и чему ты радуешься? — усмехнулась я. —
Хоть одна юбка в досягаемой близости — и ты, считай, покойник.

— Неужто ты настолько кровожадна? — засмеялся он, целуя меня, а я подумала: «Знал бы ты, кто
лежит у тебя под боком, небось, смеяться перестал.
Потомственная маньячка. Вот, блин...» Наверное, я
должна рассказать ему... О наследственных заболе-
ваниях принято рассказывать. Но не сейчас же. Мое
наследственное заболевание подождет. А все-таки
интересно: как он отреагирует? Натянет штаны со
словами: «Предупреждать надо» — или скажет: «Все
это чушь». — А потом подумает и добавит: — Но любовь вдруг куда-то испарилась».

Проверять его реакцию отчаянно не хотелось.
Лео смотрел на меня слегка ошарашенно, а до меня
дошло, что я реву. Вот уж некстати.

— Нюська, — позвал он. — Что ж ты дурочка такая... Мой старик... я хотел сказать, мой отец живет с матерью тридцать пять лет. И никогда ей не
изменял, о чем недавно сообщил мне с гордостью.
И я ему верю. Зачем портить то, что дает Господь,
причем дает далеко не всем. Если у тебя есть люби-

мая женщина, все прочие просто перестают существовать.

Внутренний голос наверняка бы ехидно заметил: «Все так говорят», но промолчал, так как был в изгнании. А я перестала реветь и почувствовала себя совершенно счастливой. И это при том, что должна испытывать хотя бы стыд из-за крайне неподходящего момента для этого самого счастья. Но счастье, впрочем, как и несчастье, является, когда хочет, и я решила: все мои проблемы подождут. Уж несколько часов абсолютно точно.

Задернуть шторы в спальне мы не потрудились, оттого солнечные лучи добрались до моей физиономии, и я проснулась. Лео спал, раскинув руки, словно обнимая весь мир, и я подумала: спать он, скорее всего, привык один. Он был так красив в эту минуту, что я вновь прослезилась от любви и нежности к нему. Совершенно не свойственные мне эмоции до сего дня.

Потихоньку выскользнув из постели, я задернула шторы. Комната погрузилась в темноту, а я прошла в кухню выпить воды. Заодно проверила мобильный. Телефоны и я, и Лео выключили еще с вечера, оттого и смогли наслаждаться ничем не нарушаемым покоем.

Звонков было несколько. Два от Ильи, СМС тоже от него: «Куда пропала? Бабаев уже не интересен?» Боясь разбудить Лео, разговаривать с Ильей я отправилась в ванную. Взглянула на часы: половина двенадцатого. Последний раз он звонил пятнадцать минут назад.

— Наконец-то, — проворчал он. — А я уж думал, что напрасно развил бурную деятельность.

— Извини, оставила мобильный в машине, — соврала я. — Есть новости?

— Еще какие. Представь, твой Бабаев не только жив, но и давно на свободе.

— Как такое может быть? Он же маньяк и у него пожизненный срок?

— В том-то и дело: оказалось, мужик за чужие преступления срок мотал.

— То есть жену он не убивал?

— Жену, похоже, он. А вот навесить на него все остальное явно поторопились. На его несчастье, настоящий маньяк покинул город, обосновался за Уралом, взяли его только через семнадцать лет. В ходе следствия выяснилось, где он жил ранее, ну а дальше дело техники, как говорится. Запираться ему не было никакого смысла, и он признал и эти преступления.

— А Бабаев?

— В общей сложности отсидел почти двадцать лет. Минимум в два раза больше, чем ему светило за убийство благоверной. Вернулся в родной город, где и живет сейчас.

— Адрес есть?

— Зачем тебе? — насторожился Илья.

— Возможно, придется с ним встретиться. Не зря же всплыла его фамилия.

— Что он может знать о твоей матери?

— Вот я и гадаю. Только не говори, что встречаться с ним опасно. Он старик, к тому же я не собираюсь ехать к нему одна.

— А с кем ты собираешься? — тут же спросил Илья, вот ведь зануда. Странно, что я раньше этого не замечала.

— Например, с тобой. Кстати, если раздобудешь номер телефона Бабаева, ехать не придется. Я просто позвоню.

Звонить я не собиралась. Чтобы тебя выслушали, как минимум надо лишить человека возможности в любой момент бросить трубку. Но моя болтовня должна была развеять сомнения Ильи.

— Хорошо, — буркнул он. — Адрес сброшу СМС. Имей в виду, у меня ближайшие дни заняты, а туда тащиться четыреста километров.

СМС пришло почти сразу. Прочитав его, я быстренько умылась, а также оделась, радуясь, что вчера оставила свои вещи в ванной. Нет риска разбудить Лео, болтаясь по квартире. Сумка в холле, кофе выпью по дороге. Прощальный поцелуй отменяется, так как это повлечет за собой вопросы, на которые отвечать пока я не намерена. То, что мой дед, слава богу, не маньяк, сняло с души тяжкий груз, но свою жену он все-таки убил. Чего-чего, а тратить время на объяснения я сейчас совершенно не хотела.

Выскользнула из квартиры, а потом из дома, широко улыбнувшись консьержу. Дежурил другой мужчина и ко мне отнесся с профессиональной вежливостью, не проявляя чрезмерного интереса.

До дома я добралась на такси и, не заходя в квартиру, тут же села за руль своей машины. Мобильный молчал, но меня не покидало чувство, что Лео может появиться в любой момент и воспрепятствует моей поездке.

Он позвонил, когда я выехала из города. Я малодушно не ответила. Лео звонил не переставая, и я, чертыхнувшись, нажала кнопку вызова.

— Где ты? Что случилось?

Голос его слегка дрожал: можно помечтать, что от тревоги, но скорее от бешенства.

— Пришлось срочно уехать. Не хотела тебя будить, извини.

— Ты где, я спрашиваю?

— Давай я все расскажу позднее. Сейчас не очень удобно. Кстати, я тебя люблю.

— Отличная новость... Я-то думал провести это утро иначе.

— Я тоже.

— Когда ты освободишься?

— Пока не знаю. Позвоню, как только смогу. Целую.

Я дала отбой и вздохнула с облегчением. К нему тут же прибавились муки совести. Как бы я отреагировала на то, что Лео умчался неизвестно куда, оставив меня встречать полдень нашей любви в малоприятном одиночестве? Это вряд ли укрепило бы мою привязанность. В конце концов, он мужчина, они не так чувствительны и... В общем, переживет.

В другое время я бы точно не стала рисковать нашими отношениями, но мне было необходимо как можно скорее встретиться с Бабаевым. Назвать его дедом язык не поворачивался. Хотя после папы он мой самый близкий родственник. Теперь я не сомневалась: он виделся с моей матерью незадолго до ее исчезновения. Старик, живший в квартире Аллы, а еще и номер в мобильном мамы, обозначенный буквой «О»... Отец? Выходит, она не только знала, что он вышел из тюрьмы, но и поддерживала с ним связь, ничего нам не рассказав.

Понять ее можно. Долгие годы мы считали, что он погиб в аварии, и вдруг оказывается — он жив, но сидел в тюрьме. Она вовсе не собиралась о нем рассказывать или просто отложила это? Старик покинул квартиру Аллы примерно за три недели до исчезновения мамы. Вернулся в свой город? Тогда вряд ли ему известно больше, чем мне. Иначе почему он молчал четыре года, не попытавшись связаться с нами?

Всю дорогу я пребывала в каком-то лихорадочном возбуждении, представляя нашу встречу. В этом был свой плюс: несколько часов пролетело незаметно. Въезжая в город, где родилась моя мама, я вдруг испуганно подумала: «Каким будет мое завтра?» И вновь вспомнила слова Лео: «Не все тайны следует знать».

Двухэтажный дом на рабочей окраине тонул в зелени кленов. Единственный подъезд, дверь распахнута настежь, деревянные полы, широкая лестница на второй этаж. Перед квартирой с номером шесть я замерла, пытаясь выровнять дыхание, а потом решительно позвонила.

Шаркающие шаги, поворот замка, и дверь открылась. На пороге стоял старик в клетчатой рубашке на три размера больше, чем надо. Лысая голова в старческих пятнах. Алла говорила: жилец выглядел крепким, хоть и было ему лет семьдесят. Этому на вид лет сто, жуткая развалина.

Я от растерянности не могла произнести ни слова. Некоторое время мы молча смотрели друг на друга, потом он сказал:

— Заходи. — И зашаркал в глубь квартиры, где пахло лекарством и безнадегой. — Одна приехала? — не поворачиваясь, спросил он, а я зачем-то соврала:

— С другом. Он в машине остался.

Старик тяжело опустился в кресло возле журнального столика, придвинул пепельницу, достал сигарету из пачки и закурил.

— Если хочешь чаю или поесть чего... все в кухне. Самой придется...

— Спасибо, мы по дороге поели.

— Как знаешь.

Он затянулся и тут же закашлялся. Приступ длился не меньше минуты. Лицо старика стало багровым, дышал с трудом.

— Вам нельзя курить, — сказала я.

— Мне уже все можно. Сначала туберкулез... вроде подлечился малость, а теперь вот рак. Больше месяца не протяну.

— Вы... вы знаете, кто я?

— Конечно. Фотки видел. Мать показывала. Подарила две, в комоде лежат.

— Вам известно, что случилось с мамой? — спросила я, чувствуя, как болезненно сжалось сердце.

— Вон там конверт на полке... Все подробно расписал. Чтоб соседка после моей смерти отправила куда надо... Разыскала меня как?

— Нашла мамино свидетельство о рождении. Мама жива? — собравшись с силами, задала я вопрос. Он покачал головой. Я стиснула зубы, а он продолжил:

— Ты свидетельство нашла, а менты, значит, нет? Чудеса. Я все ждал, когда явятся. Четыре года ждал. Вот и письмо написал, чтоб знали, где ее искать. Можешь прямо сейчас ментам звонить. Мне уж все равно. Под стражу не возьмут. Не придется в тюремной больничке загибаться. Или хочешь меня сначала послушать?

— Я слушаю, — с трудом произнесла я.

— Мать у меня была гулящей, — вдруг заявил он. — Красивая, мужики проходу не давали. А она никому не отказывала. Отцу это надоело, и он ушел. А я отца очень любил. Тосковал по нему. Он совсем молодым погиб, несчастный случай на производстве. А я, когда жену стал приглядывать, выбирал попроще, некрасивую, чтоб радовалась да благодарна мужу была, мол, приметил, полюбил. Только, видно, бабья подлость всегда свое берет. Бабка твоя в школе работала, медсестрой. Ну и снюхалась с учителешкой. Ни кожи ни рожи, а туда же...

Я слушала его, и меня мутило от отвращения: то ли от его слов, то ли от вида его немощного тела, из которого жизнь медленно уходила, и невозможно было представить, что с этим человеком нас что-то связывает. «Надеюсь, ребенка моя бабушка родила от учителешки», — мстительно подумала я.

— Надо бы бросить ее да уйти, — продолжил старик. — Но от обиды, не от горя, я ведь ее и не любил совсем, у меня в душе все перевернулось.

Ведь мог в жены красавицу взять, а я на эту жизнь потратил. В общем, понял я: если не убью ее, мне самому не жить. Чего доброго, руки на себя наложу. Но в тюрьму, само собой, не хотелось, вот я и решил схитрить. В городе маньяк объявился, женщин убивал удавкой. Ушел я на дежурство, отлучиться с работы на полчаса было проще простого. Жена после вечерней смены возвращалась, я и пошел ей навстречу. Темно, безлюдно. Вот я и сработал под маньяка. Да сам себя перехитрил, — хрипло засмеялся он и опять начал кашлять. — Меня быстро в кутузку определили, да еще чужие грехи навешали. Сказали, доказательств сколько угодно, не сознаешься — на снисхождение не рассчитывай. Я понял: не выбраться мне, крепко взялись, ну и подписал, чего хотели. Спасибо, не расстреляли. Вот такая у меня вышла жизнь. Не нравится?

— Нет.

— И мне тоже.

— Но потом вас отпустили?

— Ага. Повезло. Настоящего маньяка поймали. Я сюда вернулся, мать померла, дочка с тещей неизвестно где, хорошо хоть квартира осталась. Искать дочь я не собирался, почто я ей нужен? Стал как-то жизнь налаживать. Одиночество не сахар, девонька. В тюрьме-то понятно, а здесь... вроде люди кругом, а поговорить не с кем. Конечно, думал я о дочери, да боялся, знать меня не захочет. Ну не маньяк, так все равно убийца. Пошел как-то на кладбище, на могилу матери. К жене никогда не ходил, а тут вдруг потянуло. Подхожу, а там женщина сидит. Я ее не узнал, но понял кто. У соседней ограды стою, сердце колотится, того гляди оборвется. А она вдруг повернулась и говорит: «Папа». Я, видно, сознания лишился. Глаза открыл, сижу в траве, а она надо мной хлопочет. И все «папа» да «папа». Испугалась очень. Мы до темноты с ней у могилы просидели. Разговаривали. Я просил меня простить, и она вроде простила, но, ясное дело, что было — не зачеркнешь, а того, чего не было, — не восполнишь. Но стала звонить иногда. И заходить, если на могилу матери приезжала. Редко, пару раз в год. Я сам не звонил, надоедать боялся. Но так радовался, если видел ее или голос слышал. В жизни смысл образовался. У меня есть дочь. И внучка. Фотокарточку попросил, она не отказала. Я ведь в самом деле счастливым себя чувствовал. Приболел, «Скорая» меня забирала, а тут мать твоя звонит. Приехала на следующий день с передачкой. Сидела больше часа. Я от одного этого на поправку пошел. Воспаление легких у меня тогда было, рак-то потом нашли. Выписали меня через две недели, я впервые ей сам позвонил. А она мне и говорит: «Приезжай, папа». Я в тот же день поездом. Встретила меня, у подруги поселила. Мобильный мне купила, чтоб звонить. У меня мобильного-то не было, только домашний. У подруги пожил, после другую квартиру нашли. Мать твоя сказала, подруга, мол, решила, с любовником я здесь встречаюсь...

Он головой покачал и вновь забился в кашле. А потом сидел, глядя на свои руки: то ли хотел отдышаться, то ли не решался продолжить.

— Видел я, что у нее беда. Догадался сразу, как приехал. Оттого, наверное, и позвала, с родным человеком все же легче. Я молчал, с расспросами не лез, пока она вдруг не расплакалась. Видно, на роду нам написано обманутыми быть. Твой отец заознобу себе нашел. Молодую. Считай, тебе ровесница. Я дочь утешал, а сам думал: собственными руками стервеца придушу. И придушил бы. Да уж очень она его любила.

— И тогда вы расправились с любовницей? — спросила я, слушать его и дальше не было сил.

— Она заслужила. Зачем с женатым мужиком любовь крутишь? Семью рушишь? Нисколько я не жалею, что твою бабку-паскудницу убил и эту соплячку тоже.

— Отцу вы в ее квартире записку оставили?

— Я. Чтоб от квартиры этой подальше держался и кобелиные свои замашки бросил.

— И вы всерьез думали, что мама вам спасибо скажет? — с горечью спросила я.

— Я не за спасибо старался. Хотел, чтоб жила спокойно. Чтоб брошенной себя не чувствовала. А знать, кто за что, ей ни к чему. Мало ли, всякое, как известно, случается. Я надеялся, она вовсе ничего не узнает, отец-то помалкивать будет, а труп еще надо опознать.

— Вы сделали все, чтоб не опознали.

— Для дочери старался, — усмехнулся он. — Но твоя мать все равно узнала. Не узнала. Догадалась. Видно, отец твой струхнул: и записка, и девка куда-то пропала. А мать у тебя приметливая была. Поехала к девке этой, да не застала дома. Раз не застала, другой. Вот и заподозрила: моих рук дело. Как не заподозрить, если я убийца. Убил раз, значит, и вто-

рой убьет за милую душу. Они с твоим отцом по-
цапались. Слово за слово, он ей и сказал... в общем,
намекнул: мол, не она ли записку оставила и не знает ли твоя мать, где искать девицу?

«Значит, они все-таки поссорились, — с тоской
думала я. — Оттого и легли в разных комнатах».

— А на следующий день мама решила проверить
свои догадки и отправилась к вам?

— Да, — кивнул он. — С порога на меня наки-
нулась. Я успокоить ее хотел, объяснить, что добра
ей желал. А она мне — «сумасшедший маньяк». Я не
маньяк, никогда им не был. Я родной дочери помочь старался. От слова этого у меня в мозгах вроде
как замкнуло, я только хотел, чтоб она замолчала,
не называла меня так. Толкнул ее. В грудь. А она
упала да головой об столешницу ударилась. Камен-
ная столешница... Я поверить не мог, что она мертва, что дочку убил своими руками...

Он достал сигарету из пачки и стал закуривать,
а я спросила:

— Что было дальше?

— Мне в то утро как раз диагноз подтвердили.
Я дочку-то ждал, чтоб ей об этом сказать. В общем,
тюрьмы не боялся, раз надолго там не задержусь.
А потом представил, как буду в тюремной больничке загибаться... захотелось хоть напоследок на
солнышке погреться. Дождался ночи и вывез ее,
машина-то дочкина во дворе стояла. Утром позвонил хозяйке, в квартире на всякий случай как
следует прибрался, оставил ключ и уехал. Никто
нас с Татьяной связать не мог. С хозяйкой квартиры я без нее встречался, подруга меня не видела,

мобильный она на себя оформила, к врачу я один ходил. Машину утопил по дороге. Но все равно думал: докопаются. Они ведь на это мастера. Первые два месяца ждал со дня на день. Потом пообык, а теперь уж все равно. Одно мне хотелось, чтоб похоронили ее по-человечески, чтоб ты знала, куда прийти. Вот ментам письмо и оставил. Соседка за мной приглядывает, велел ей, как помру, сразу отправить.

— Но... разве вы не... — С даром речи явно было что-то не так. Неудивительно, учитывая обстоятельства. — А как же Альбина Лопахина?

Имя явно ни о чем ему не говорило, он смотрел без интереса, не понимая, чего я хочу от него.

— Эта женщина тоже погибла.

— Нет, нет, — засмеялся старик, махнув рукой. — Чужого не надо. Хватит. Я тебе все как есть рассказал, а больше сказать мне нечего. Хочешь, в полицию звони, от своих слов не откажусь, но чужой грех на себя не возьму, своих за глаза.

Я взяла конверт с полки, вынула из него листы в клетку, написанные ровным красивым почерком, и стала читать.

— Место найти легко, — заметил старик, наблюдая за мной. — Специально выбирал.

Мне хотелось орать от боли, от отчаяния, а еще от обиды. Все это время разгадка была на поверхности, но потребовалось четыре года ожидания и надежды, бесконечных поисков... Тут и вовсе крамольная мысль явилась: может, друзья моего отца не столько в поисках помогали, сколько заботились о том, чтобы ничего лишнего не нашли? А обращение к частным сыщикам теперь и вовсе вызывало сомнение.

— Звонить будешь? — спросил старик.

— Нет, — ответила я, возвращая письмо на прежнее место, и направилась к входной двери.

— Ты — моя кровь, — сказал он мне вдогонку и снова принялся кашлять.

Я не помню, как дошла до машины. Завела двигатель и, подняв голову, увидела в окне второго этажа старика. Он смотрел на меня, потом поднял руку и помахал, точно прощаясь. А я рванула с места, торопясь оказаться как можно дальше.

Но свои силы переоценила. До родного города мне точно не добраться. В тот момент я хотела одного: зарыться лицом в подушку и уснуть. Спать долго-долго, а проснувшись, знать, что все осталось где-то далеко позади.

Я нашла гостиницу, в номере задернула шторы на окнах и отключила мобильный, перед этим отправив СМС Лео: «Я тебя люблю». Мне очень хотелось, чтобы он в эту минуту был рядом. Но даже с ним я вряд ли смогла бы говорить.

Проснулась я рано. Часы показывали половину шестого. Очень скоро выяснилось: уснуть опять не получится. В семь я отправилась завтракать и сразу после этого покинула гостиницу. Мобильный я так и не включила, мне требовалось побыть наедине со своими мыслями и решить, что делать дальше.

Старик оказался прав: найти это место было совсем не трудно. Я сидела в густой траве, привалившись спиной к березе, и смотрела перед собой.

Через четыре года я все-таки нашла маму, нашла ее могилу. Я пыталась подобрать подходящие слова, которые, наверное, должна была сказать ей, но все слова вдруг показались бессмысленными. Слез тоже не было. Должно быть, это ненормально. Или я просто не в состоянии поверить, что ее больше нет?

Я тяжело поднялась и вернулась к машине. До города оставалось километров двадцать. Возле первого телефона-автомата я остановилась, набрала номер и произнесла, стараясь изменить голос:

— У меня есть информация о пропавшей без вести четыре года назад Гришиной Татьяне Витальевне...

Я подробно описала место, где захоронена моя мать, и повесила трубку до того, как мне начали задавать вопросы. Все переговоры записываются, и информация уйдет по назначению. Объяснить свой поступок мне было довольно затруднительно. Вряд ли это акт гуманизма по отношению к больному старику. Никакой жалости к нему я не испытывала. Он лишил меня матери, и самое суровое наказание убийце вряд ли бы смогло меня с этим примирить. Много бы я отдала, чтобы избавиться от родства с ним! Но он прав: во мне течет его кровь, и теперь мне придется жить с этой мыслью.

Положив руки на руль, я сидела так некоторое время, потом позвонила отцу. Вести с ним беседу как ни в чем не бывало оказалось трудно. Я боялась проговориться о своей тайне. И думала о том, что отцу предстоит узнать в ближайшее время. Пусть лучше не от меня. Возможно, это просто трусость, но вестником несчастья я быть не хочу.

Простившись с папой, я наконец обратила внимание на пропущенные звонки. Два были от моей помощницы Кати, мои сотрудницы наверняка гадали, куда я вдруг исчезла, разом охладев и к новой коллекции, и к работе вообще. Девятнадцать звонков от Лео.

Тяжко вздохнув в преддверии неприятного разговора, я набрала его номер.

— Ну и где ты была, черт возьми? — сказал он, решив не тратить время на приветствие.

— Давай встретимся.

— И ты мне все расскажешь?

— У меня есть предложение получше.

— Отлично. Значит, ничего объяснять ты не намерена.

— Я намерена любить тебя всю оставшуюся жизнь. Этого мало?

— Вот уж не знаю... Я сейчас занят, — ворчливо продолжил он. — На ланч обещал к Коту заехать. Можем встретиться там. В два. — И дал отбой. Ни тебе слов любви, ни банального «целую». Ладно, сама виновата.

До двух было еще довольно много времени, но я поехала к Котову, решив ждать Лео там. По дороге позвонила на работу, сообщила, что после обеда непременно появлюсь.

Кот что-то горячо обсуждал с молодым человеком в оранжевой футболке. Завидев меня, помахал рукой, а вскоре подошел. К тому моменту я заняла свободный стол и в ожидании Лео попросила официанта принести воды.

— Привет, — сказал Котов, целуя меня. — Просто так заехала или...

— Что «или»? — усмехнулась я.

— Ну... Лео собирался приехать. Говорят, вас видели вместе.

— Люди всегда что-нибудь говорят. Зачем тебе Лео?

— Ты что, не слышала? По городу хакерские атаки. Вчера три частные клиники не работали, сегодня еще две.

— У тебя есть частная клиника?

— Кто сказал, что за рестораторов не возьмутся?

— Лео-то здесь при чем?

— Во всем, что касается компьютерных программ и защиты, ему нет равных.

— Серьезно? — искренне удивилась я.

— Ну, не будь богатого папочки, Лео бы все равно в бабле купался. Говорят, в четырнадцать лет он стырил миллион из какого-то банка. И не попался.

— Лео — выпендрежник, — отмахнулась я.

— Возможно, — не стал спорить Кот. — Но при этом хакер от бога. Реально крутой чувак. Ладно, отдыхай...

Он поднялся и отправился по своим делам, а я еще некоторое время сидела в полном обалдении. Новость об очередном таланте моего возлюбленного не произвела бы такого ошеломляющего впечатления, не процитируй Кот дословно приятеля Ильи. Помнится, тот, проверяя мой компьютер и видя, как на его глазах исчезло письмо, якобы присланное мамой, выразился так же. Реально крутой чувак.

«Вдруг это действительно Лео?» — испуганно подумала я, а дальше все оказалось совсем просто: стоило взглянуть на события с этой точки зрения, и они начали выстраиваться, образуя логическую цепочку. И теперь было удивительно, как я не поняла все это раньше. В общем, когда появился Берзинь, вопросов у меня практически не осталось, зато были ответы.

Он шел между столиков, невероятно красивый, уверенный в себе, а мне хотелось разнести здесь все к чертям собачьим. Вот только непонятно, с какой стати за мою глупость должен расплачиваться Кот. Лео сел напротив, хмуро взглянув на меня, и буркнул:

— Привет.

— Привет, — ответила я и попробовала улыбнуться.

Вышло так себе. Видеть его оказалось тяжелейшим испытанием. Мне требовалась хотя бы короткая передышка, чтобы собраться с силами.

— Я сейчас, — сказала я и отправилась в туалетную комнату. Умылась холодной водой и немного постояла, глядя на себя в зеркало. — Похоже, с любовью ты не угадала, — пробормотала я и подмигнула своему отражению. Хотела, чтобы получилось лихо, вышло жалко.

— Я заказал бизнес-ланч под номером один, — сказал Берзинь, когда я вернулась. — Не против?

— Пусть будет номер один.

Берзинь смотрел недовольно и не собирался нарушать затянувшуюся паузу. Это пришлось сделать мне.

— Оказывается, у тебя бездна талантов, — усмехнулась я.

— А ты сомневалась?

— Нет, что ты. Но об одном точно не знала. Ты реально крутой чувак во всем, что касается компьютеров?

— Я действительно такой умный, талантливый и красивый, как обо мне говорят, — с серьезной миной заявил он.

— А еще ты мастер интриги. А какой лицедей, — в тон ему продолжила я.

— Это ты к чему, милая?

— Дала себе труд немного поразмышлять.

— Наверное, не самое привычное занятие? И не самое приятное?

— Насчет не самого приятного — в точку.

— Что ж, просвети меня, — развел он руками. — Любопытно узнать, до чего ты додумалась.

— Ты решил использовать исчезновение моей матери, чтобы избавиться от конкурента. А чтобы обвинения в адрес моего отца были весомыми, тебе понадобилась я. Если уж родная дочь его обвиняет...

— Милая, — усмехнулся Берзинь. — С прискорбием должен заметить, крышу у тебя сильно сносит: то влево, то вправо. Тараканы ремонт затеяли?

— С тараканами у меня перемирие, сидят тихо и не высовываются. Смотри, что получается: Альбину ты нашел в рекордные сроки, придумав вполне логичное объяснение. На самом деле все это время она работала на тебя. В роли моей мамы она появлялась точно по заказу. Меня тебе показалось мало, и ты решил: неплохо, если мою мать, в кавычках, и ее секретарь увидит. Дважды ты случайно оказывался рядом. Первый раз, чтобы продемонстрировать мамин плащ, а второй — спасти от злодеев. Их роль исполнял кто-то из людей твоего папеньки? Я сталкиваюсь с Лапшиным в его доме, и он вроде бы случайно выбирает тебя из списка моих контактов.

— Вообще-то, он обратил внимание на СМС и сделал вывод, что мы любовники.

— Вернемся к Альбине, — не обращая внимания на его слова, продолжила я. — Ты настойчиво предлагал следить за моим отцом, тебе было важно, чтобы я увидела их вместе. И выдвинул версию: она — алиби моего отца, то есть изображала маму в день ее исчезновения. На самом деле в то время они даже не подозревали о существовании друг друга. Ты забыл: сестры были не в ладах, оттого Анастасию никто не искал так долго. Ты сам или кто-то из твоих людей уговорил ее приехать сюда поучаствовать в спектакле. Сколько ты ей заплатил? Или пообещал вывести на чистую воду убийцу сестры, то есть моего отца?

— Да тебя заслушаешься, дорогая, — подперев щеку рукой, с улыбкой произнес Лео.

— Приехав сюда, Альбина встретилась с моим отцом. По твоей просьбе, конечно. Это было нужно, чтобы их последующая встреча, уже на моих глазах, выглядела так, точно они давно знакомы. Альбина объяснила отцу, что знает о нем от сестры. Это вряд ли бы его удивило. А еще она попросила о помощи, и он ей помог. Может, она даже намекнула на свои подозрения: а не он ли виновник смерти Анастасии? И папа дал ей денег. Боялся, что об их связи станет известно? Наверное. Ты мог быть доволен, но моя недоверчивость настораживала. И ты решился на шаг, который развеет мои сомнения. Мы отправились к Альбине. Однако на самом деле наша встреча в твои планы не входила. И девушка погибла. Это о твоих грандиозных замыслах. Теперь то, что касается лицедейства. Твой внезапный интерес ко мне надо было как-то объяснить. Хоть ты и считал меня дурой, но не всякая дура поверит во внезапно вспыхнувшую страсть. И ты придумал пари, которое все отлично объясняло. А находясь довольно длительное время рядом с прекрасной девушкой, в самом деле немудрено влюбиться.

— Здесь лишь два слова правды, — засмеялся он. — Ты действительно прекрасная девушка.

— Искренне надеюсь, что смеяться ты будешь недолго. Ты чокнутый сукин сын, ты убил Альбину ради своих дурацких планов...

— Идиотка, — понизив голос до шепота, произнес он. — Я никого не убивал. И не отдавал такого приказа. Труп в квартире был для меня такой же неожиданностью, как и для тебя.

— Тебе предоставят возможность доказать это, — заверила я, поднимаясь. — А я приложу максимум усилий, чтобы ты надолго задержался в тюрьме.

— Смотри, чтобы там не оказался твой папаша, — сказал он, широко улыбаясь.

Вот эта его лучезарная, роскошная, в лучших традициях Голливуда улыбка меня и доконала. Я влепила ему пощечину, хоть и знала: бить людей нельзя, но теперь выходило, что таких, как Берзинь, можно. Щека его побагровела, глаза полыхнули ненавистью, зубы он стиснул, но все-таки произнес:

— Пошла вон...

Я торопливо покинула ресторан. Не из-за того, что испугалась ответных действий, об этом я думала меньше всего, а из-за того, что боялась разреветься. Самым глупым образом.

Я бежала к машине, исходя нервной дрожью и думая лишь об одном: поскорее отсюда убраться. Однако далеко не уехала. Без рыданий обошлось, но стало ясно: в моем состоянии лучше по городу не ездить, надо хоть немного успокоиться.

В общем, припарковавшись возле супермаркета, я подумала, что не худо бы пройтись, но осталась в машине. Не знаю, как долго я бы пялилась в лобовое стекло, до боли стискивая руки, но тут вдруг задняя дверь распахнулась, и в машину сел мужчина. Поначалу я его даже не узнала. Бейсболка, надвинутая на глаза, свободная толстовка, делавшая его гораздо крупнее, и борода. Наверное, борода и сбила с толку.

Пока я пыталась избавиться от изумления от подобного нахальства, мужчина заговорил, и оказалось: передо мной Лапшин. То ли частный сыщик, то ли просто жулик, не так давно застукавший меня в своей квартире. Надо полагать, сейчас он с ответным визитом.

— Добрый день, — сказал он, а я спросила:

— Вы не заблудились? Выметайтесь отсюда, и поскорей.

— Судя по тому, как вы только что расстались с Берзинем, ваша любовь пошла на убыль. Вы узнали, что у него есть еще подружка? С ней он, кстати, провел эту ночь. Или все еще хуже и вы, наконец, поняли, что имеете дело с убийцей?

— Я и о вас не лучшего мнения. Вы ведь ему помогали. Кстати, где разжились чудодейственным средством для роста волос?

— Борода фальшивая, — усмехнулся он и тут же вновь стал исключительно серьезным. — В том-то и дело, что помогал. Боюсь стать ненужным свидетелем... вслед за Альбиной, вот и приходится маскироваться.

— На сочувствие рассчитываете? Зря.

— Не на сочувствие. На помощь. Берзинь впервые появился у меня еще четыре года назад. Нас познакомила моя приятельница. Он предложил мне работу, и я согласился.

— Какую работу?

— Следить за вашим отцом. Думаю, он планировал его убийство, по крайней мере, было похоже на то. Потом вдруг дал отбой, очень хорошо мне заплатив. От третьих лиц я узнал: в тот момент фортуна повернулась к Берзиню и его папаше передом, а к вашему отцу задом. Видно, парень счел, что время терпит. Сложись ситуация иначе, и вы бы стали сиротой.

— Вы хотите сказать, в исчезновении моей матери виновен Берзинь?

— Я не знаю, кто виновен, и знать не хочу, если честно. Но пару месяцев назад он вновь у меня появился. Во время нашего предыдущего сотрудничества я показывал ему фотографию, где ваш отец вместе со своей любовницей, Анастасией Лопахиной. Надо отдать должное этому мерзавцу, память у него исключительная. Он не только запомнил девицу, но и обратил внимание на ее сходство с вашей матерью. Именно Анастасию мне и предстояло найти. Я выяснил, что девушка погибла еще четыре года назад, незадолго до исчезновения вашей матери. Довольно странное совпадение.

— Оно заинтересовало Берзиня?

— Возможно. Но куда больше интересовала сестра погибшей. Альбина. Я не сразу понял, чего он хочет. Вся эта игра в переодевалки... Потом дошло. Идея избавиться от вашего отца его не оставила, только теперь он вознамерился упечь его в тюрьму. С вашей помощью. Нам здесь лучше не задерживаться, — вдруг сказал Лапшин. — Вполне возможно, его люди уже рыщут по городу, разыскивая нас. Поздравляю, вы теперь тоже ненужный свидетель. Как я и Альбина.

Я тронулась с места, толком не зная, куда ехать. В душе был полный раздрай. Почти наверняка Лапшин говорит правду, то есть, по сути, ничего нового он не сообщил. И вместе с тем меня терзали сомнения. Возможно, это просто нежелание верить в то, что человек, которого любишь, убийца, однако я хорошо помнила реакцию Лео, когда мы обнаружили труп Альбины. Берзинь прав: для него гибель женщины явилась полной неожиданностью. Думаю, он отправился к ней вместе со мной, заранее предупредив ее об этом и проинструктировав, что она должна мне сказать. Сомнений у меня остаться не должно: за рулем маминой машины в день ее исчезновения была именно она...

— У него есть тайная квартира, — вновь заговорил Лапшин. — На Сущевской. Он в ней не живет, появляется крайне редко. Доказательства его вины там.

— Какие доказательства? — нахмурилась я.

— Веские. Лучше показать, чем рассказывать. Но есть проблема. Проникнуть в квартиру не так просто. В подъезде дежурит консьерж, надо что-то придумать...

— Если подняться из паркинга на лифте, консьерж нас не увидит.

— А как попасть в паркинг? С улицы это могут сделать лишь те, у кого есть брелок от ворот.

— У меня есть ключи от квартиры, брелок тоже есть. У Берзиня два места в паркинге, одно занимает его спортивная машина, второе свободно, когда его нет.

— Отлично, значит, на вашу машину жильцы внимания не обратят. А если обратят, вряд ли бросятся ему звонить. Если машина там, значит, Берзинь дал кому-то ключи от паркинга, по-другому туда не попасть. Дежурный внизу есть?

— Нет.

— Вы поссорились, но ключи он у вас не отобрал. Невероятная удача. Поехали.

До дома Берзиня на Сущевской мы добрались за пять минут, и все это время меня так и подмывало послать Лапшина к черту и сбежать. Из города, из страны, с этой планеты. Я не хочу никаких доказательств. Я и так знаю, что выбрала не того. Знала с самого начала. А теперь надо идти до конца. Это все, что мне остается.

Я достала ключи из сумки и свернула к воротам паркинга. Нажала кнопку на пульте, ворота открылись, и через несколько секунд я заняла место рядом со спортивной машиной Берзиня. Именно здесь он оставлял свой джип.

Не произнося ни слова, мы направились к лифту. Уже в кабине Лапшин достал из кармана бахилы и резиновые перчатки. Протянул мне.

— Наденьте. Наши отпечатки там не нужны, не то он, чего доброго, заявит, что доказательства ему подкинули.

— Моих отпечатков там предостаточно, — покачала я головой.

— Как знаете. — Лапшин быстро натянул перчатки и надел бахилы.

Когда мы вошли в квартиру, сердце вдруг болезненно сжалось. Лапшин запер дверь и убрал ключу в карман брюк.

— Идемте, — позвал, — у нас не так много времени.

Я направилась в гостиную, Лапшин шел чуть сзади, неожиданно схватил меня и с размаху ткнул лицом в стену. Я взвыла от боли и точно бы не устояла на ногах, но он держал меня за шею. Ударил второй раз, третий. Я пробовала закричать, вырваться, но он стиснул мне рот и нос ладонью, развернув к себе, и зашипел:

— Я не против, чтобы немного пошуметь, это делу лишь на пользу, но не слишком громко, чтобы кому-то из соседей не взбрело в голову звонить в полицию.

Я начала задыхаться, Лапшин ослабил хватку, а я смогла задать вопрос:

— Что вы делаете?

— Хочу отправить в тюрьму твоего любовника. По-моему, он это заслужил.

Он ударил меня кулаком в живот, я вскрикнула от боли, а он вновь стиснул мне рот. Схватил за волосы и с такой силой приложил к стене, что я сползла на пол в полуобморочном состоянии.

«Он спятил», — в отчаянии подумала я, не понимая, что происходит.

— Я расскажу тебе историю, — устраиваясь передо мной на корточках, продолжил он. — Жила-была девушка, возможно, не такая красивая, как ты, и у нее не было богатенького папаши, но она тоже заслуживала счастья. Как все люди. Разве нет? — Ответа на этот вопрос не требовалось, но я кивнула, а Лапшин вновь заговорил: — Она очень хотела быть счастливой. И когда встретила твоего Берзиня, подумала, что вытащила выигрышный билет. Еще бы, богатый красавец, умница. Настоящий принц. Неудивительно, что она влюбилась.

— Это та девушка на фотографии, на вашем холодильнике? — с трудом произнесла я.

— Ты наблюдательна. Это она. Я знал, что ее любовь не принесет ей ничего, кроме горя, но поделать ничего не мог. Он бросил ее очень быстро. И в самом деле, зачем она ему? Простая девочка с добрым сердцем. Она страдала, а он просто вычеркнул ее из своей жизни. Забыл. Она же не могла жить без него. Однажды выпила больше, чем следовало, села за руль и погибла. Говорили, не справилась с управлением, но я уверен, она это сделала нарочно, потому что потеряла надежду. А он... он даже не знал об этом. Или сразу забыл. Когда он явился ко мне пару месяцев назад, я сказал: «Лизы больше нет. Разбилась на машине». И знаешь, что он ответил? «Очень жаль». Ему не было жаль, ему было все равно. Он хотел, чтобы я на него опять работал, заплатил мне деньги. Лишь *его* интересы имели значение. Все остальное — ерунда. Он мерзкий ублюдок, который ходит по головам.

— Эта девушка... была вашей дочерью?

Вопрос его разозлил, и он вновь меня ударил.

— Однажды я ей помог, и мы стали друзьями.

«Этот псих был в нее влюблен, — подумала я, — а когда девушка погибла, окончательно спятил».

— Тогда почему вы работаете на Берзиня? Это он приказал меня избить?

Идея критики не выдерживала, зачем это делать в собственной квартире? Оправдывало меня то, что из-за боли я соображала плохо.

— Избить? — усмехнулся он. — Нет, я собираюсь забить тебя до смерти. Я ведь сказал: я хочу, чтобы твой любовник оказался в тюрьме.

— Вы поэтому убили Альбину? — начав кое-что понимать, пробормотала я.

Лапшин засмеялся:

— Я даже оставил кое-какие улики, что должны привести к нему. Но... машина правосудия нерасторопна, а он со своими деньгами способен выскользнуть из ловушки. Из той, но не из этой.

«А ведь он прав, — в панике подумала я. — В этой квартире Лео появляется не часто, и неизвестно, когда меня обнаружат. Мой труп, а не меня, как бы жутко это ни звучало. Доказать свою непричастность ему будет нелегко, тем более что сегодня многие стали свидетелями нашей ссоры. Логично предположить — мы продолжили скандалить в его квартире, ссора закончилась избиением, сил он не рассчитал, и в результате я скончалась».

— Я не виновата в ее смерти, — сказала я, почти уверенная: это бессмысленно.

— Мне жаль, — усмехнулся он. — В самом деле жаль, но другого выхода нет.

Лапшин вновь ударил меня, и пока я хватала воздух, достал из кармана моток пластыря, оторвал от него кусок и заклеил мне рот.

— Давай все закончим побыстрее.

Собрав все силы, я ударила его ногой, боец из меня никудышный, но я отчаянно сопротивлялась. Я думала о том, что если доберусь до окна, у меня появится шанс, но боль с каждым ударом становилась все нестерпимее, а сил все меньше.

Я смогла высвободить руку, сорвала пластырь и закричала. И тут же на голову обрушился такой удар, что я потеряла сознание, но за секунду до того, как отключиться, я увидела Лео. Он стоял в холле и смотрел на меня.

Очнулась я в больнице. Рядом был папа. В голове туман, должно быть, от обезболивающих.

— Папа, — позвала я, он вскочил со стула, на котором сидел, а я вновь погрузилась в беспамятство, так и не успев спросить: привиделся мне Лео или нет, что с Лапшиным и как я оказалась в больнице?

Узнать все это я смогла лишь на третий день, когда окончательно пришла в себя и папа счел возможным кое-что рассказать. Лео по чистой случайности появился в своей квартире, чем и спас мне жизнь. Лапшин был так занят избиением, что его заметил не сразу. В результате Берзинь без особых проблем скрутил его, вызвал «Скорую» и полицию.

Уже потом выяснилось: не было никакой случайности. Мои поездки, которые Лео не мог контролировать, здорово его нервировали. И когда я отлучилась в ресторане в туалет, он спрятал маячок в моей сумке и теперь мог отслеживать мои передвижения. То, что я после ссоры вдруг отправилась в его квартиру, Берзиня удивило, вот он и поспешил туда. Жаль, что потратил довольно много времени, это обошлось мне сотрясением мозга, а также переломом ключицы и левой руки. Возможно, Берзинь предпочел бы обойтись без полиции, ведь его собственная роль во всей этой истории была довольно неприглядной, а с Лапшиным ничто не мешало разобраться по-свойски. Учитывая их с отцом репутацию, для Олега Федоровича все закончилось бы куда хуже, чем для меня. Однако решение приходилось принимать в спешке, я лежала без сознания, а медики непременно бы поинтересовались, кто меня до этого состояния довел. Надо было либо сдавать обоих, либо обоих вывозить по тихой, мои шансы выкарабкаться в этом случае стремились к нулю.

Лично я, скорее, удивилась, что просто не исчезла, как моя мать. Более романтичная особа непременно бы вообразила: кое-какую симпатию ко мне Лео все же испытывал, и это сказалось на его решении. Но я была далека от романтизма и в доброе сердце Берзиня не верила. Я даже сомневалась, что оно в принципе есть. И то, что Берзинь в больнице не появился, лишь убедило меня в этом. Несмотря на все старания Лапшина, неприятности Лео, как выяснилось, не грозили. Поначалу Лапшин заявил: он избил меня на почве личной неприязни, но, узнав, что я потихоньку выкарабкиваюсь и уже даю показания, свои тоже сменил. Личная неприязнь осталась, но теперь уже к Берзиню, которого он обвинял в гибели своей подруги.

Впоследствии в убийстве Альбины он признался, но утверждал, что они были любовниками, поссорились и убил он ее по неосторожности. Берзинь в обоих случаях остался в стороне. Честный бизнесмен, на которого старались повесить два убийства. Не было никаких попыток обвинить моего отца и прочего, а был одинокий псих Лапшин. Уверена, здесь не последнюю роль сыграли деньги Берзиня, а также его умение убеждать даже самых упрямых. Оттого сыщик, забыв про недавнюю ненависть, перешел к сотрудничеству.

Я с рассказом о коварной деятельности Лео тоже не спешила. Может, боялась впутывать во все это отца, а может, была еще причина. Я хотела как можно скорее вычеркнуть Лео из своей жизни. Точно его там и не было никогда.

Через две недели меня выписали из больницы. Папа настоял, чтобы я жила у него, и я согласилась.

Чувствовала, испытания еще не закончились, а в такое время лучше держаться вместе.

В первый же вечер папа, после долгих предисловий, сообщил об анонимном звонке в полицию. Звонивший указал место, где следует искать тело мамы.

— Это совершенно точно она. Мы похоронили ее три дня назад. Прости, что не сказал тебе сразу, но... Я подумал, после всего, что ты пережила, будет лучше... — Папа не договорил, обнял меня, а я прижалась к нему покрепче.

Утром мы отправились на кладбище, я сидела у маминой могилы, щурилась на солнце и думала: все было не зря. Ведь я нашла ее. По крайней мере, теперь у нас с отцом есть место, куда мы можем прийти. Поговорить с ней, попросить прощения, чтобы когда-нибудь получить его. И жить дальше.

Правоохранительные органы занялись расследованием убийства моей матери, и для отца наступили непростые дни. Он вновь оказался подозреваемым. По крайней мере, сам был в этом абсолютно уверен. Пока я думала, как поступить: рассказать о старике или молчать в надежде, что следствие выйдет на него без моей помощи, произошло кое-что еще.

Однажды утром принесли телеграмму, в которой сообщалось: Бабаев Виталий Валерьевич накануне скончался. Соседка, присматривавшая за ним, выполнила его распоряжение и отправила мне телеграмму, а письмо с его признанием — в правоохранительные органы. Заявление Бабаева показалось следствию убедительным, а может, кто-то из папиных друзей, обладая достаточным влиянием, поторопился поскорее оставить эту историю в прошлом. В общем, дело было закрыто. Тут, собственно, и следовало поставить точку. А дальше, как говорится, «жили они долго и счастливо». Но счастливо почему-то не получалось. И если кости срослись довольно быстро, то душевные раны все не затягивались.

Я вернулась к работе и почти все свое время посвящала ей, а в редкие минуты отдыхала, таращилась в потолок или смотрела в окно, чем очень беспокоила папу. Он, как мог, старался вытащить меня из этого состояния, но не особо преуспел. Дни тянулись одинаково серые, безрадостные, и конца им не предвиделось.

Истинную причину моей великой тоски я нашла довольно быстро, но даже себе не пожелала в ней признаться. Пока однажды ночью не зазвонил мобильный. Взглянув на дисплей, я с удивлением поняла, что звонит Лео. Контакт я давно удалила, но номер до сих пор помнила. И ответила, сама толком не зная, зачем я это делаю.

— Привет, — сказал он.

А я сказала:

— Тут вообще-то люди спят.

— И правда, блин. Все нормальные люди спят. А прочие по клетке мечутся.

— Да ты пьян, — усмехнулась я, поняв, что не так с его голосом.

— В хлам, милая. Не то не стал бы тебе звонить. Я... я распоследняя тварь... вот такая новость. Все не так и неправильно, Нюська. Хочу выбросить тебя из головы и думаю постоянно. А тоска такая, хоть волком вой. — Он и вправду завыл, протяжно и жутковато. По спине побежали мурашки, я сказала:

— Придурок.

И отключила мобильный, чтоб он не вздумал перезвонить, и твердила себе, что Берзиню нет места в моей жизни, просто нет, что бы я сейчас себе ни навыдумывала.

Он больше не звонил, а я то и дело смотрела на телефон и все ждала, упорно не желая себе в этом признаться. Я мало общалась с друзьями и почти никуда не выходила. Боялась встретиться с Лео?

Но однажды мы все-таки встретились. У Ильи был день рождения, он собирал друзей у Котова и настоял, чтобы я тоже пришла. Исчерпав все возможные предлоги, я в конце концов согласилась. Надо сказать, предчувствия в тот вечер у меня были самые скверные.

Уже подъехав к ресторану, я едва не сбежала в последний момент, но тут появился именинник, и мне пришлось последовать за ним. Вопреки ожиданиям, вечер получился замечательный, и я порадовалась, что наконец-то выбралась из своей скорлупы. Смеялась, танцевала с Ильей и, кажется, была почти счастлива, довольна уж точно. До тех пор, пока не почувствовала на себе чей-то взгляд. Повернулась и увидела Лео. Он сидел в компании молодого мужчины и двух женщин. Я поспешно отвернулась, но глаза, словно против воли, возвращались к нему снова и снова. Вот так мы и смотрели друг на друга, пока я, улучив момент, когда Илья был занят, не сбежала.

Села в машину, достала ключ, но так и осталась сидеть, вцепившись руками в руль. Дверь ресторана распахнулась, и появился Лео. Подошел и сел рядом со мной. Моросил дождь, капли воды скатывались по лобовому стеклу, мы смотрели на них, точно не в силах повернуть голову и взглянуть друг на друга.

— Я люблю тебя, — сказал Лео.

И вновь повисла тишина. Лишь стук дождя по крыше, казалось, становился громче с каждой секундой.

— У меня не получится, — прошептала я, глядя на свои руки.

— Ладно, — сказал он после недолгого молчания и повторил: — Ладно...

Распахнул дверь и ушел, так и не взглянув на меня. Я смотрела на его удаляющуюся фигуру, стиснув рот руками, чтобы не закричать.

А утром убеждала себя, что поступила правильно. Я твердила это до тех самых пор, пока вдруг не разревелась прямо во время совещания, повергнув в шок своих подчиненных. Заперлась в кабинете и, уткнувшись лбом в сложенные на столе руки, просидела так до самого вечера. Потом позвонила папе, сказала, что пойду на день рождения к подруге, а ночевать буду у себя. Заехала в супермаркет и купила литровую бутылку виски. Первая порция алкоголя вызвала отвращение, вторая пошла лучше, после третьей я начала получать удовольствие, после пятой мало что помнила. Но до кровати как-то добралась.

Утром, едва проснувшись, я схватила мобильный и проверила свои звонки. Звонок всего один в час пятнадцать и длился двадцать семь минут. Господи, что я успела наболтать за это время? Но по-настоящему расстроило не это, по-настоящему я расстроилась, когда не увидела входящих звонков. Их не было ночью, не было утром, прошло еще три часа, а Лео так и не перезвонил. Если поначалу я твердила: он просто дает мне возможность выспаться, то теперь стало ясно: травила я себя виски совершенно напрасно. У Лео достаточно здравого смысла, чтобы понять: у нас нет будущего.

Я отмокала в ванне, с подозрительной настойчивостью думая о том, что неплохо бы утопиться, когда позвонил папа. Поинтересовался, как прошел день рождения, а я честно ответила: страдаю с перепоя. Папа засмеялся и предложил вместе пообедать. И я пообещала приехать к нему на работу. Других идей просто не было.

Через час я действительно была в его кабинете, немного бледная, со слегка покрасневшими глазами, и все же выглядела вполне нормально, раз папа сказал:

— Господи, какая ты у меня красавица.

Тут в кабинет заглянула его секретарь, извинилась, вошла и, странно оглядываясь, плотно прикрыла дверь за собой.

— Алексей Егорович, — сказала, слегка запинаясь. — Там Берзинь.

— Какой Берзинь? — растерялся папа.

— Вообще-то, оба, хотят вас видеть.

Папа посмотрел на меня, я на него, и мы дружно пожали плечами.

— Что им надо? — спросил папа, обращаясь к секретарю.

— Не сказали.

— Ну... зови, — кивнул он, вновь взглянув на меня.

Секретарь распахнула дверь, громко сказала «прошу», и в кабинет вошел Лео в компании мужчины лет шестидесяти, высокого, подтянутого, с седой шевелюрой. Отец с сыном были похожи. Я вдруг подумала: лет через тридцать Лео будет выглядеть так же. А еще подумала, что мне это нравится.

Папа наблюдал за появлением заклятых врагов с некоторым недоумением. Берзинь-старший между тем спросил, обращаясь к сыну и указав на меня:

— Это она? — Лео кивнул, а он продолжил: — Ага... теперь хоть ясно, отчего у тебя крышу снесло.

Он выдвинул стул и на этот раз обратился к моему отцу:

— Я сяду, в ногах правды нет.

Лео осталась стоять, мы с папой тоже.

— Короче, так, — сказал Берзинь-старший. — Я своему парню не враг. И если уж его угораздило влюбиться в твою девчонку... в общем, прекращаю вражду в одностороннем порядке...

Пока папа думал, что на это ответить, Берзинь повернулся к сыну:

— А ты так и будешь молчать?

Лео нахмурился, сделал шаг в нашу сторону и сказал:

— Я люблю вашу дочь и прошу ее руки.

Папа посмотрел на меня с сомнением, а я поспешно отвела взгляд.

— Ну... это ей решать, — неуверенно начал папа.

— Она сейчас так настроена, что пошлет меня просто из упрямства, — сказал Лео.

— И вовсе нет, — влезла я и покраснела от досады. Мужчины переглянулись и как по команде начали улыбаться. — Я хотела сказать...

— Давай-ка, Алексей Егорович, выйдем ненадолго, — поднимаясь, сказал Берзинь-старший. — Пусть без нас разбираются.

— Все, что я наболтала ночью... — начала я, как только за ними захлопнулась дверь. Но договорить не успела. Лео притянул меня за плечи и поцеловал.

И это было лучшее, что он мог сделать в ту минуту.

Литературно-художественное издание

АВАНТЮРНЫЙ ДЕТЕКТИВ. РОМАНЫ Т. ПОЛЯКОВОЙ

Полякова Татьяна Викторовна

ВРЕМЯ-СУДЬЯ

Ответственный редактор О. *Рубис*
Младший редактор П. *Рукавишникова*
Художественный редактор С. *Груздев*
Технический редактор Г. *Этманова*
Компьютерная верстка В. *Андриановой*
Корректор Е. *Сахарова*

ООО «Издательство «Э»
123308, Москва, ул. Зорге, д. 1. Тел.: 8 (495) 411-68-86.
Өндіруші: «Э» АҚБ Баспасы, 123308, Мәскеу, Ресей, Зорге көшесі, 1 үй.
Тел.: 8 (495) 411-68-86.
Тауар белгісі: «Э»
Қазақстан Республикасында дистрибьютор және өнім бойынша арыз-талаптарды қабылдаушының
өкілі «РДЦ-Алматы» ЖШС, Алматы қ., Домбровский көш., 3«а», литер Б, офис 1.
Тел.: 8 (727) 251-59-89/90/91/92, факс: 8 (727) 251 58 12 вн. 107.
Өнімнің жарамдылық мерзімі шектелмеген.
Сертификация туралы ақпарат сайтта Өндіруші «Э»

Сведения о подтверждении соответствия издания согласно законодательству РФ
о техническом регулировании можно получить на сайте Издательства «Э»

Өндірген мемлекет: Ресей
Сертификация қарастырылмаған

Подписано в печать 19.09.2017. Формат 84х108^1/$_{32}$.
Гарнитура «Newton» . Печать офсетная. Усл. печ. л. 16,8.
Тираж 28 000 экз. Заказ 3556.

Отпечатано в ООО «Тульская типография».
300026, г. Тула, пр. Ленина, 109.

ВЫСОКОЕ
ИСКУССТВО ДЕТЕКТИВА

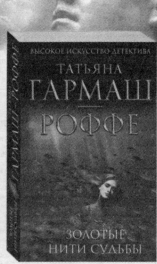

ТАТЬЯНА ГАРМАШ-РОФФЕ отлично знает, каким должен быть настоящий детектив, и следует в своих романах законам жанра. Театральный критик, она умеет выстраивать диалоги и драматургию чувств. Неординарная личность, она дарит часть своей харизмы персонажам. Непредсказуемость сюжетных поворотов, точность в логике и деталях, психологическая достоверность в описании чувств, — таково **ВЫСОКОЕ ИСКУССТВО ДЕТЕКТИВА** Татьяны Гармаш-Роффе.

Вы можете обсудить роман и пообщаться с автором на его сайте.

Адрес сайта: www.garmash-roffe.ru

ТАТЬЯНА УСТИНОВА
 РЕКОМЕНДУЕТ

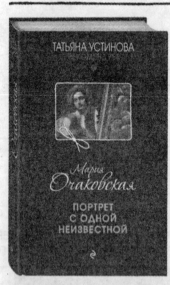

Татьяна УСТИНОВА знает, что привлечет читателей в детективах Екатерины ОСТРОВСКОЙ и Марии ОЧАКОВСКОЙ! «Антураж и атмосферность» придуманного мира, а также драйв, без которого не обходится ни одна хорошая книга. Интригующие истории любви и захватывающие детективные сюжеты – вот что нужно, чтобы провести головокружительный вечер за увлекательным чтением!